13 À TABLE !
2022

Tonino BENACQUISTA •
Françoise BOURDIN •
Marina CARRÈRE D'ENCAUSSE •
Jean-Paul DUBOIS •
François D'EPENOUX • Karine GIEBEL •
Marie-Hélène LAFON •
Alexandra LAPIERRE • Cyril LIGNAC •
Agnès MARTIN-LUGAND •
Étienne DE MONTETY • François MOREL •
Romain PUÉRTOLAS •
Tatiana DE ROSNAY • Leïla SLIMANI •

13 À TABLE !

2022

NOUVELLES

POCKET

L'éditeur de cet ouvrage s'engage dans une démarche
de certification FSC® qui contribue à la préservation
des forêts pour les générations futures.

Pour en savoir plus :
www.editis.com/engagement-rse/

© 2021, Pocket, un département d'Univers Poche
ISBN : 978-2-266-31648-4
Dépôt légal : novembre 2021

Préface

Les vacances, on ne les oublie jamais... À la lecture des nouvelles inédites formidables de cette 8ᵉ édition de 13 à table !, on comprend pourquoi !

Et parce que chacune et chacun a le droit à des souvenirs inoubliables, des parfums d'ailleurs, des soirées photos, aux Restos du Cœur, les bénévoles organisent des séjours de vacances pour celles et ceux qui en sont éloignés. Quoi de plus réjouissant qu'un souvenir de vacances partagé, gagné sur l'isolement.

Nous sommes heureux, cette année encore, que toute la chaîne du livre, des métiers artistiques aux métiers techniques, s'engage toujours aussi fortement avec nous, dans notre grande aventure solidaire.

Près de 6 millions de repas supplémentaires ont pu être distribués grâce à eux ! et grâce à vous, depuis les débuts de 13 à table !.

Merci à toutes et tous d'être à nos côtés.

Belles lectures

Les Restos du Cœur

Sommaire

Tonino BENACQUISTA

Le Fugitif

Gaël, mon aîné, dix-sept ans, et de la suite dans les idées. Je savais bien que tôt ou tard il me brandirait sous le nez cette clé USB, l'air triomphant :

— Je l'ai !

Ariane, sa sœur, quinze ans, a entamé une danse de la joie. Bientôt rejointe par leur mère. La soirée va être longue.

— Je l'ai trouvé dans un vieux fond de catalogue sur une plateforme de streaming. Copie correcte.

— C'est du téléchargement illégal, donc. Tu sais ce que j'en pense.

— Même pas. C'est que des trucs libres de droits. Papa, t'es libre de droits ! La honte !

Et cette andouille d'éclater de rire. Sa trouvaille aura au moins le mérite de mettre fin à une sorte de légende familiale bien imméritée : *quand il était jeune, papa a tourné dans un long-métrage, papa a fait l'acteur, papa a joué dans un film de guerre*. Je n'ai rien joué du tout, j'ai juste été figurant dans une petite production qui n'a pas marqué l'histoire du cinéma. J'avais l'âge de Gaël, et je n'ai jamais cherché à voir ce truc qui s'intitulait *Pour l'honneur*, ou *Au champ*

11

d'honneur, je ne sais plus, mais, ce dont je suis sûr, c'est qu'il relatait un épisode de la guerre de 14.

— En tout cas, on sait ce qu'on fait ce soir, ajoute ma chère et tendre, cachant mal son impatience de me voir au front, donnant l'assaut, baïonnette au canon.

Elle va être déçue. Nos deux jeunes crétins aussi. Et moi sans doute plus encore.

La projection lancée, les ricanements cessent, et déjà on scrute à l'écran la silhouette malingre et hirsute d'un pioupiou de trente ans plus jeune que moi. Attention à ne rien rater, l'instant sera furtif, je ne me souviens pas d'un plan ayant duré plus de dix secondes. En revanche, à la faveur d'un décor boisé aux lueurs printanières, je me laisse prendre par le charme de la réminiscence, et le détail de cette journée si particulière me revient peu à peu.

Cet été-là, je ne vais pas au camping de Royan avec mes parents : je suis tout juste majeur et je le fais savoir. Mon père me laisse les clés de l'appartement, sans doute un peu déconcerté de me voir si pressé de jouer à l'adulte. « Si tu veux des vacances, tu te les paies », me dit-il de façon ferme et curieusement affectueuse. J'ai beau leur vouer une infinie tendresse, quand je vois leur R16 tourner le coin de la rue, je sens que la vraie vie commence. Mais la vraie vie prend son temps. Je dépose des CV dans les hyperpermarchés qui en cette période embauchent des manutentionnaires. Valérie m'invite à passer quelques jours dans sa maison de campagne, dans l'Eure, mais pourquoi me serais-je débarrassé de mes parents pour hériter des siens ? Un cousin me propose une vacation d'un mois dans les services administratifs de l'hôpital de la Pitié-Salpêtrière. Classer des archives ou charrier des palettes, je vais devoir choisir. Des copains m'encouragent à les rejoindre à Barcelone d'où partira leur randonnée jusqu'en Andalousie. Je n'ai pas le moindre sou pour descendre en Espagne. Paris, livré aux touristes, ne m'offre nulle occasion de profiter de ma toute nouvelle liberté. Un soir de grand ennui, j'appelle Jean-Marc, le genre de gars avec qui attendre le premier métro après une soirée avinée. Or il est en train de préparer sa valise, direction Formentera, où il compte bien séjourner jusqu'en septembre.

— Je vais rater une journée de figuration à 200 balles. Si ça te tente, je te donne le numéro.

— C'est quoi, le film ?

— Aucune idée. On m'a seulement dit de venir pas rasé.

À l'écran, des troupes en manœuvre se déploient en forêt. D'après un panneau indicateur, nous sommes en Lorraine, mais dans mon souvenir nous avions tourné dans la vallée de Chevreuse, à cinquante kilomètres de Paris. Ariane, dans la pénombre, son téléphone en main, tape « guerre de 14 » dans un moteur de recherches. Je lui souhaite bien du courage. Gaël croit me reconnaître dès qu'un poilu entre dans le champ :

— C'est toi, p'pa ? Ou lui, à droite ? T'es où, t'es là ?

Je le calme d'une phrase :

— Cherche l'ennemi.

À peine débarqués du car, la soixantaine de jeunes gens que nous sommes se soumettent au tri du chargé de figuration qui a besoin de quarante soldats français et de vingt prisonniers allemands. Avec ma tête de blondinet, je sais d'emblée quel sera mon camp. Une heure plus tard, je revêts un uniforme vert-de-gris de fantassin, sans casque à pointe mais avec un calot type *Feldmütze,* puis l'on me dirige vers une enclave à ciel ouvert où sont rassemblés mes codétenus. Une costumière et une maquilleuse s'emploient à faire de nous des vaincus ; pendant que l'une enroule autour de mon crâne une bande de gaze maculée de rouge, l'autre, un rouleau en main, badigeonne de boue ma vareuse. Et voilà mon premier souvenir de vacances de jeune homme émancipé épris d'aventure : pouilleux et crotté, derrière des barbelés.

Dans le salon, ma petite famille s'impatiente. Certes on voit des prisonniers en fond de champ mais de façon trop indistincte. Je leur promets un plan rapproché qui ne saurait tarder – obtenu, si ma mémoire est bonne, au bout d'une vingtaine de prises.

Mais ce plan-là, nous ne le savons pas encore, misérables troupiers que nous sommes, ne sera tourné qu'en fin de journée. Pour l'heure nous patientons sous le cagnard de juillet, vautrés dans une gadoue de cinéma. Bien vite nous prend l'envie de gambader dans la nature environnante en attendant le prêt à tourner, mais le garde-chiourme délégué par la production nous informe d'un ton sec comme un claquement de bottes qu'il est hors de question pour lui de nous courir après. Un des nôtres, plus aguerri que la moyenne, sort un jeu de tarot et trouve vite quatre partenaires. Un autre précise à qui veut l'entendre qu'il n'est pas un figurant occasionnel mais un « acteur de complément ».

Nous voilà bien impressionnés à l'évocation de sa carrière : client de bistrot, passager de métro, flâneur dans un film de Sautet, sans parler de sa prestation de « silhouette parlante » dans une scène où il dit à Jean-Pierre Marielle attablé dans un restaurant : « En entrée nous aurons des endives braisées. » Mon pantalon de laine me fait l'effet d'une toile abrasive à l'entrejambe. Le bandage qui me ceint les tempes est en eau. Les soldats français, eux, vont et viennent librement, tout fringants dans leur tenue rouge et bleue, le fusil Lebel à l'épaule. Ils se comportent en vainqueurs. L'un d'eux, avec qui j'ai sympathisé dans le car, me regarde, hilare :

— *Ausweis ! Schnell !!!*

Si l'habit fait le moine, il désigne aussi l'ennemi. Une lassitude mêlée d'exaspération me gagne ; quelle injustice que d'être assis là, dans la sueur et la fange, perclus d'ennui, pendant que des copains se gobergent aux terrasses barcelonaises, que Jean-Marc se baigne dans les eaux turquoise des Baléares, pendant que mes parents, sur la plage de Royan, retrouvent leurs petites habitudes de juillettistes.

— C'EST LUI !!! hurle Ariane pendant que son frère fait un arrêt sur image.

Oui ! C'est papa ! On se repasse l'instant en boucle, on ne s'en lasse pas. Malgré sa barbe de trois jours et son accoutrement, on le reconnaît. Certes on a vu des photos de lui à cet âge-là, mais ici, en mouvement, pendant qu'il dévisage la caméra en voulant se faire passer pour un soldat déchu, on découvre une facette de lui encore inédite : un cabotin !

— Trois secondes à l'écran et il en fait des caisses…

— Je vais mettre l'extrait sur Instagram. Papa tu vas te faire *liker* à donf !

Et déjà je quitte l'image, ma minute de gloire est passée, mais les sarcasmes redoublent.

— … Tout ça pour ça ?

— Mon père est le pire acteur de tous les temps !

— Étonnant qu'Hollywood ne t'ait pas appelé à la sortie du film…

— On sait maintenant pourquoi tu es libre de droits !

— Tu as bien fait de choisir le BTP, chéri.

Je laisse dire. Après tout, c'est *de bonne guerre*. Cependant, aucun de ces trois-là ne se doute que ma vraie scène, je l'ai eue plus tôt dans la journée, sans aucune caméra pour en témoigner.

Je rôtis sous le soleil de midi. On vient de nous servir un sandwich et un quart d'eau tiédasse, comme le café à suivre. L'inertie atteint son point de non-retour. Le bruit court que le chef opérateur s'agace d'un mauvais nuage venu gâcher sa belle lumière mordorée. On installe des rails de travelling mais le ballet agité des techniciens, câbles et rouleaux de Scotch en main, nous distrait à peine dix minutes. Je parviens à attirer l'attention de l'un d'eux.

— On tourne quand ?

— Pas avant une bonne heure.

En langage « plateau », il faut multiplier par deux ou trois. Une folle envie d'escapade me gagne. Si je m'absentais un moment, qui s'en apercevrait ? Il me suffirait de quitter discrètement le décor et de gagner les frondaisons. Sans plus y réfléchir, me voilà devenu un fugitif. En somme, un héros.

La vareuse sur l'épaule, je chemine à l'ombre des châtaigniers et des chênes. Le vent m'a rafraîchi le front. Les feuilles craquent sous mes bottes. Dans la clandestinité, chaque pas devient précieux. Les premiers de l'âge d'homme ! Ce sentiment de liberté tant espéré, je l'éprouve enfin : j'ai découvert le rebelle en moi. J'ai dix-huit ans, nom de Dieu ! Voici venu le temps des grandes espérances. Bientôt je combattrai dans le camp des vainqueurs.

Mais le temps de l'exaltation est bien court et cette forêt est immense... Je n'ai aucune idée de l'heure, la costumière nous a interdit les montres. Si je ne suis pas de retour en prison d'ici peu, je risque de perdre mon cachet, soit un aller simple pour Barcelone, et j'aurais fait cette guerre pour rien.

Dans une trouée claire, j'avise une propriété isolée, entretenue et sans doute habitée. Derrière un enclos, une femme pend son linge en chantonnant. Quand elle m'aperçoit, elle porte une main à son cœur et laisse échapper un cri.

Un soldat allemand, surgi du passé, est à sa porte. Un soldat blessé de surcroît, le crâne en sang. Certes elle n'a pas l'âge d'avoir connu les horreurs de la Grande Guerre, mais, à voir son état de saisissement, je commence à en douter.

— Ne vous inquiétez pas, je suis figurant de cinéma, on tourne un film pas loin d'ici et je me suis égaré...

D'une voix blanche elle appelle son mari, qui, stupéfait lui aussi, se fige au seuil de la maison à distance prudente.

— Vous n'avez pas entendu parler d'un tournage dans le coin ?

Ils m'observent un moment puis échangent, dans un regard, un dialogue muet mais chargé de sens. Elle me demande si j'ai soif. De fait, je me damnerais pour un peu d'eau fraîche.

— Entrez, jeune homme.

Que me vaut cette soudaine bienveillance ? Une longue table de cuisine en chêne massif, une cheminée qui diffuse une fine odeur de cendres froides, un piano droit. J'éprouve le besoin de bavarder pour atténuer la bizarrerie de la situation mais il semblerait que ma seule présence suffise. Comme un enfant assoiffé, je vide bruyamment un grand verre d'eau citronnée. Ils s'en amusent. Me voilà moins fébrile, et eux plus volubiles. Ils se montrent curieux de moi, de ma jeunesse, de mes vacances, de mes ambitions. J'en oublie le prêt à tourner. Ici se joue un instant bien plus précieux. Je le comprends quand, en jetant un œil sur les photos sous verre posées sur le piano ou la cheminée, j'aperçois celle d'un jeune homme en maillot de bain faisant démarrer un Zodiac. Sur une autre, il souffle ses bougies d'anniversaire, entouré d'amis. Une autre le montre en uniforme militaire, la casquette sous le bras, le menton haut, le regard volontaire, fixant l'azur. Un cliché de professionnel, comme un portrait officiel des armées.

En taisant son existence en pareilles circonstances, ils me font la plus cruelle des confidences. Et me montrer curieux du personnage serait la pire des maladresses. Tout ici me raconte cette histoire-là. Ce sentiment d'absence qui habite leur foyer. Leur sourire attendri et triste à la fois quand ils me regardent. Le geste ému du mari qui pose la main sur celle de sa femme pendant qu'ils m'écoutent. À quoi bon contraindre une mère à dire un prénom qui lui griffe le cœur dès qu'elle le cite. À forcer un père à prononcer les mots « mort au combat », ou « disparu en mission » ? Je ne ressemble en rien à ce jeune homme-là mais tout en moi l'évoque. À quoi bon briser le charme d'une visite dont ils ont été privés à jamais ? Je ne suis plus un fantassin allemand, ni même un combattant de 14, je suis tous les fils partis au front, dont les parents ont tant prié pour hâter le retour.

Au seuil de la maison, l'homme m'indique le chemin d'une clairière où, hier, il a vu stationner des semi-remorques pleins de matériel. Sa longue poignée de main me retient à lui. Sa femme, dans un élan qu'elle n'a pas su retenir, me serre dans ses bras. Incarner leur fils de retour de guerre aura été mon plus beau rôle de fiction.

— Il était pas si mal, ton film, dit Gaël.

Les enfants regagnent leur chambre. Jamais je n'ai été aussi rassuré de les savoir endormis sous notre toit.

Depuis, sur la porte du réfrigérateur, il y a une capture d'écran, tirée sur papier, retenue par un aimant. On y voit le soldat papa, recroquevillé dans son uniforme vert-de-gris, les joues mangées par la barbe, le regard ténébreux. Chaque matin elle me rappelle toutes les guerres que je n'ai pas faites.

Françoise BOURDIN

Un faire-valoir

Si les romans de Françoise Bourdin sont tous des succès incontournables, c'est sans doute parce qu'elle a toujours eu à cœur de raconter les préoccupations de ses contemporains, sans tabou. Sa générosité, sa bienveillance et son engagement dans les problématiques de notre époque en font une plume emblématique pour toutes les générations. Parmi ses derniers romans, on peut citer *Gran Paradiso*, *Quelqu'un de bien* et *Le meilleur est à venir* parus aux Éditions Belfond.

Claire s'était sentie obligée d'accepter. Son père le lui avait demandé avec gentillesse et diplomatie, certes, mais fermement. Pour lui, l'enjeu était de taille, car il dépendait de la bonne volonté de sa supérieure hiérarchique. Celle-ci était numéro deux dans l'entreprise où il travaillait, et il comptait sur son appui pour obtenir la promotion qu'il visait. En conséquence, puisque leurs filles respectives se connaissaient, étant dans la même promotion en fac de droit, l'important était de consolider cette amitié naissante afin d'établir un rapprochement entre les familles. Or Claire avait été invitée par Julia à passer quelques jours dans le Midi. Une proposition inattendue, que l'insistance de son père rendait plus surprenante encore. Il s'en était expliqué, d'un ton grave.

— Pour remercier les parents de Julia du séjour qu'ils t'offrent, dès la rentrée nous pourrons les convier à dîner. Rien de mieux qu'un moment convivial partagé hors du cadre professionnel. Si nous parvenons à tisser des liens, ce sera très bénéfique pour mon avenir. Comprends-tu ?

Ses arguments avaient laissé Claire dubitative, mais elle s'était inclinée de bonne grâce. Après tout, à en croire ce que racontait Julia, la propriété de ses parents, située sur les hauteurs de Nice, semblait un véritable paradis. Au programme : la plage à longueur de journée, et des repas aux chandelles dans le jardin tous les soirs. Peut-être même quelques sorties nocturnes si la mère de Julia acceptait de prêter sa voiture. En somme, des vacances de rêve !

Sauf que… Julia était une jeune fille de rêve elle aussi. Belle, grande, élancée, possédant de l'humour et de la repartie, toujours habillée à la pointe de la mode, maquillant avec un art consommé ses grands yeux bleus bordés de longs cils, elle affichait volontiers un petit sourire moqueur qui dévoilait ses dents parfaites. À côté d'elle, toutes les filles avaient l'air d'un faire-valoir. Mais Claire ne comptait pas jouer ce rôle. Si elle ne bénéficiait pas du physique remarquable de Julia, elle était petite et bien faite, plutôt mignonne avec son visage de chat, son regard sombre et pénétrant, ses boucles brunes en cascade. Et ce qu'on distinguait de prime abord en la rencontrant était sa gentillesse naturelle et sa spontanéité qui en faisaient une excellente camarade, appréciée sans être jalousée. Lorsqu'on la connaissait mieux, on découvrait qu'elle avait aussi un solide caractère.

Malgré ses réticences, elle avait bouclé sa valise, prête à profiter du séjour au soleil.

★
★ ★

Julia n'avait pas eu besoin d'enjoliver la réalité, la propriété de ses parents était somptueuse. Une maison d'architecte flanquée de pins parasols et entourée d'un jardin où poussaient de la lavande et du mimosa. Devant les larges baies vitrées, une vue imprenable sur la Méditerranée en contrebas.

Accueillie avec bienveillance, Claire avait été installée dans une jolie chambre disposant de sa propre salle d'eau équipée d'une douche à l'italienne. Tout ce luxe était dû au père de Julia, un chirurgien plasticien en vogue. C'était un homme un peu distant, mais courtois, qui n'apparaissait qu'au moment des repas.

— Ma mère pourrait se dispenser de travailler, avait confié Julia, mais elle a toujours refusé le statut de femme au foyer. Du coup, ils sont tous les deux mobilisés par leurs carrières et je les vois peu. En échange, je dois reconnaître qu'ils me passent tous mes caprices !

Elle en riait, insouciante, ravie d'être une enfant gâtée. Dans la famille de Claire, on ne vivait pas de la même manière. Moins d'argent, mais beaucoup de temps passé ensemble, d'affection réciproque et de règles de vie. Chez elle, Claire partageait la salle de bains avec ses deux frères, et sa chambre donnait sur une cour, cependant elle ne manquait de rien, et surtout pas d'amour.

Dès le premier jour, Julia exigea de descendre avec Claire sur la plage privée où elle avait ses habitudes l'été. Sa mère les y conduisit volontiers, paya la location de deux transats avec deux parasols, et laissa quelques billets à sa fille pour le déjeuner.

— Tu vas voir, lança Julia, je connais presque tout le monde ! Ici, nous sommes au bon endroit, c'est la plage où il faut être vue…

Et, en effet, des jeunes gens lui adressaient déjà des signes de bienvenue. Des privilégiés, comme elle, appartenant sans doute à des familles aisées. Suivie de Claire et précédée du serveur, Julia s'arrêta plusieurs fois pour échanger quelques mots avec les uns ou les autres, avant d'arriver enfin devant les deux transats qu'on leur avait attribués. Avec des gestes très étudiés, parce qu'elle se savait regardée, elle enleva son tee-shirt puis son short. Le maillot de bain minuscule qu'elle portait ne cachait pas grand-chose de sa silhouette sculpturale. Claire se déshabilla vite, vaguement embarrassée d'avoir à exhiber un deux-pièces assez banal.

Durant un moment, elles se contentèrent de bronzer, enduites de crème solaire, mais il faisait déjà très chaud et Julia suggéra d'aller à l'eau. En y entrant, Claire fut surprise par les galets dans lesquels on s'enfonçait jusqu'aux genoux, mais rapidement elle n'eut plus pied et retrouva son assurance. Excellente nageuse, elle avait même récupéré des points à la piscine lors des épreuves du bac. De son côté, Julia se contentait de barboter en souriant et en prenant soin de ne pas mouiller ses cheveux. Claire, au contraire, s'amusait sous l'eau à observer le fond marin, puis elle se défoulait en crawlant sur une bonne distance. Lorsqu'elle se décida à regagner la plage, Julia l'attendait avec impatience pour monter jusqu'au restaurant où une table leur était réservée. Comme elle n'avait pas le temps de se sécher, Claire garda son maillot et ses cheveux mouillés.

Le repas, composé de melon, de poisson grillé, et accompagné d'un verre de rosé bien frais, fut léger, mais délicieux. Julia, qui surveillait sa ligne, suggéra de ne pas prendre de dessert. Tandis qu'elles sirotaient leurs cafés, des jeunes gens s'arrêtèrent à leur table, et l'un d'entre eux proposa à Julia un tour de ski nautique.

— Désolé, dit-il à Claire avec un petit sourire d'excuse, il ne reste qu'une seule place sur le bateau.

— Ça ne t'ennuie pas, tu es sûre ? s'enquit Julia qui était déjà debout.

— Pas du tout ! D'ailleurs, je ne sais pas en faire…

Ses derniers mots se perdirent dans le joyeux chahut du petit groupe qui s'éloignait. Claire se félicita d'avoir pensé à apporter un livre dans son sac de plage, et elle regagna son transat. Elle n'était pas vexée, n'ayant aucune envie de se ridiculiser à gigoter au bout d'une corde sans parvenir à sortir de l'eau, mais elle ne pouvait ignorer qu'on venait de la traiter comme quantité négligeable. Peut-être était-ce normal, puisqu'elle ne connaissait aucun de ces jeunes, contrairement à Julia qui les fréquentait chaque été.

Elle régla son parasol de façon à avoir la tête à l'ombre et le corps au soleil pour bronzer. Après quelques pages de lecture, elle s'endormit.

Le réveil fut brutal. Aspergée d'un liquide glacial, elle bondit hors du transat, furieuse, et se retrouva nez à nez avec un garçon qui se confondit aussitôt en excuses, apparemment navré d'avoir trébuché et renversé sur elle son plateau, lequel contenait un grand verre de soda plein de glaçons et deux bières bien fraîches.

— Je suis vraiment confus, répéta-t-il à plusieurs reprises.

Il semblait sincère, et très désireux de se faire pardonner.

— Vous avez de quoi vous changer ? Sinon, mieux vaut aller vous baigner, j'ai peur que la bière ne tache votre maillot...

— Ça tache et ça colle ! répliqua-t-elle vertement.

Il la suivit tandis qu'elle gagnait le rivage et entrait dans l'eau. Sans se soucier de lui, elle s'éloigna vers le large de son crawl énergique, pressée de prendre ses distances avec l'humiliation qu'elle venait de subir. Mais lorsqu'elle fit enfin demi-tour, apaisée, elle s'aperçut que le garçon était toujours là, juste derrière elle. Ils regagnèrent alors la plage côte à côte, nageant au même rythme. Lorsqu'ils prirent pied sur les galets, il proposa de lui offrir un verre. Amusée par l'insistance de ses excuses réitérées qui n'en finissaient pas, elle accepta. Au bar du restaurant, ils s'installèrent sur de hauts tabourets pour commander des cocktails de fruits. Le garçon s'appelait Louis, avait vingt-quatre ans et venait d'achever sa cinquième année de médecine. Ce fut seulement en buvant sa dernière gorgée que Claire s'avisa qu'il était plutôt séduisant, voire *très* séduisant.

— J'aurais dû changer de plage, comme j'en avais l'intention, déclara-t-il. Ça m'aurait évité de renverser malencontreusement ce plateau. En revanche, je n'aurais pas eu la chance de vous rencontrer...

— Pourquoi changer de plage ? voulut-elle savoir tout en ignorant le compliment.

— Parce qu'ici, mais je ne parle pas pour vous, il n'y a que des filles qui rêvent d'être mannequins ou de faire de la télé-réalité. Personne ne nage, tout le monde parade pour avoir de belles photos à poster sur les réseaux sociaux. C'est assez pathétique !

Claire réprima un sourire. Le constat était juste, Julia elle-même songeait au mannequinat et semblait beaucoup plus préoccupée de son image que de sa réussite aux examens de droit.

— Demain, j'irai ailleurs, décida-t-il. Mais avant... si nous échangions nos numéros ?

Tandis qu'ils pianotaient sur leurs téléphones respectifs, Julia les rejoignit, entourée de sa petite bande de copains.

— Tu m'as vue ? lança-t-elle à Claire d'un ton triomphant.

— Tu t'en es vraiment bien tirée ! approuva l'un des garçons qui ne cachait pas son admiration.

— Pardon, je m'étais assoupie, s'excusa Claire.

Louis profita de l'échange pour quitter son tabouret et s'éloigner discrètement, mais Julia le suivit des yeux.

— Tu connaissais Louis ? s'étonna-t-elle.

— Non, pas avant aujourd'hui. En fait, il m'a...

— Méfie-toi de lui, la coupa sèchement Julia, c'est un type très arrogant qui snobe tout le monde.

— Ah bon ?

— Il t'a demandé ton numéro ? insista-t-elle en désignant le téléphone que Claire avait encore en main. Ne te fais aucune illusion, ma chérie, il ne t'appellera jamais, nous ne sommes pas assez bien pour lui !

Nous ? Julia aurait-elle été ignorée par ce garçon, elle qui se targuait de susciter tous les regards ? Si elle l'avait été, elle considérait donc que Claire le serait fatalement.

— Il est déjà tard, maman doit nous attendre pour rentrer, conclut Julia.

Elles allèrent récupérer leurs affaires avant de remonter vers la promenade des Anglais.

★

★ ★

Le reste du séjour se déroula de la même manière. Julia partageait ses déjeuners et ses séances de bronzage avec Claire, mais pas les activités nautiques au sein de sa bande.

Louis n'avait pas donné signe de vie, et Claire n'avait aucune intention de l'appeler. La mise en garde de Julia au sujet de ce jeune homme qui snobait tout le monde lui suffisait pour ne pas donner suite. Elle s'estimait déjà un peu négligée et ne tenait pas à être, de surcroît, méprisée. Au moins, le soir, les parents de Julia se montraient très aimables avec elle, ravis que leur fille ait pour amie une étudiante brillante, car Claire obtenait d'excellents résultats. Sans doute espéraient-ils que, par émulation, Julia se mette enfin à travailler.

Quand Claire se demandait pourquoi, en réalité, Julia l'avait invitée, elle finissait par comprendre que, comme prévu et à son corps défendant, elle tenait bien le rôle de faire-valoir. Que ce soit à leur table au restaurant ou sur la plage, la comparaison entre les deux filles était forcément à l'avantage de Julia. Et celle-ci ne voulait pas être seule sur son transat, seule en arrivant et en repartant. Elle aurait pu se joindre à sa petite bande de copains, mais sûrement préférait-elle se faire désirer et rester au-dessus de la mêlée. Sans oublier l'approbation de ses parents pour son amitié avec une fille sérieuse.

Par ailleurs, Julia n'était pas désagréable. Égoïste et narcissique, bien sûr, mais aussi pleine de fantaisie et aimant s'amuser. Le soir, une fois ses parents partis se coucher, elle allait chercher une bonne bouteille et racontait toutes sortes d'anecdotes désopilantes, provoquant de vrais moments de complicité.

En somme, le bilan du séjour, dont Claire revint toute bronzée, était plutôt positif. Ce qui provoqua, dès le mois de septembre, l'inévitable dîner dont avait rêvé le père de Claire.

★
★ ★

Pour recevoir les parents de Julia, la mère de Claire avait mis les petits plats dans les grands. L'ambiance fut rapidement détendue, et en fin de repas quelques plaisanteries commencèrent même à s'échanger. Claire en profita pour entraîner Julia à la cuisine et lui confier que le fameux Louis lui avait envoyé un texto.

— Il m'invite à boire un verre un de ces soirs, qu'en penses-tu ?

— Rien de bon. N'y va pas, ce mec n'est pas fréquentable. Parce qu'il est séduisant, il se croit tout permis. Si tu savais le nombre de filles qu'il a traitées de haut !

Se souvenant de l'opinion du jeune homme au sujet des jeunes qui fréquentaient les plages de Nice les plus à la mode, Claire eut envie de rire, mais n'en fit rien. Elle eut aussi quelques doutes quant à l'impartialité de Julia, et elle décida qu'elle se ferait son idée elle-même en acceptant ce verre. Mais elle ne dit rien pour ne pas braquer son amie qui supportait mal la contradiction.

— Le mois prochain, annonça Julia, j'organise une fête pour mon anniversaire. Les parents m'ont donné carte blanche, alors ce sera magnifique ! Bien entendu, tu es des nôtres. L'occasion pour toi de rencontrer des gens bien au lieu de perdre ton temps avec ce Louis prétentieux.

Décidément, elle insistait trop pour ne pas avoir une raison personnelle de le détester. Claire acquit la conviction que Julia avait fait partie de ces filles « traitées de haut », ce qui ne devait jamais lui arriver.

Elles regagnèrent le séjour où les parents de Julia prenaient congé de leurs hôtes. La porte à peine refermée, le père de Claire lui adressa un clin d'œil réjoui et vint l'embrasser.

— Grâce à toi, ma chérie, ma promotion est en bonne voie, lui dit-il à l'oreille.

Ainsi, le séjour niçois n'avait pas servi qu'à bronzer, et Claire eut le sentiment du devoir accompli.

*
* *

Le verre proposé – et accepté – fut un moment très sympathique, suivi d'un agréable dîner, puis d'un autre quelques jours plus tard. Louis se révélait un interlocuteur charmant. Vif d'esprit, cultivé, drôle, il était prévenant et absolument pas hautain. La médecine était pour lui une vocation, il en parlait très bien, mais il posait aussi beaucoup de questions à Claire sur ses études de droit et sur le métier qu'elle envisageait pour son avenir.

Ils prirent vite l'habitude de se voir deux ou trois fois par semaine, d'aller au cinéma ou au théâtre, de se promener main dans la main. Ainsi, quand vint le soir prévu pour la fête d'anniversaire de Julia, Claire proposa à Louis de l'accompagner. Elle le fit en connaissance de cause et malgré le déplaisir que pourrait en éprouver Julia. Car elle n'avait pas digéré une petite phrase insidieuse de son amie, prononcée quelques jours plus tôt avec désinvolture : « Viens avec un de tes copains si tu veux, mais tu trouveras forcément mieux chez moi, alors ne rate pas ta chance ! » Pour Claire, ces mots-là avaient été ceux de trop.

Ce fut donc escortée d'un Louis élégant et souriant qu'elle fit une entrée remarquée chez Julia. Celle-ci, au premier regard, parut saisie. Claire vint vers elle, l'embrassa, lui souhaita un bon anniversaire et lui remit son cadeau avant d'ajouter :

— Tu connais Louis, je crois ?

L'une de leurs camarades de fac, qui se trouvait à proximité et semblait avoir déjà bien bu, lança à Claire d'un ton envieux :

— Eh ben dis donc ! T'as pas choisi le plus moche !

Dépitée, Julia parvint à esquisser un sourire contraint avant de leur tourner le dos, apparemment décidée à les ignorer.

— Quel accueil ! s'amusa Louis. Je crois que je ne suis pas le bienvenu.

— Il y a un contentieux entre vous ? demanda Claire qui voulait en avoir le cœur net.

— Rien d'important. L'année dernière, j'ai ignoré ses tentatives de drague, un soir dans une boîte de nuit. Je ne voulais pas la vexer, mais elle n'est pas du tout mon genre...

— C'est quoi, ton genre ?

— Toi, évidemment ! Je l'ai su dès la première seconde, en voyant ces glaçons atterrir sur ton nombril, juste avant que tu jaillisses de ton transat comme une furie.

Ils éclatèrent de rire, puis Louis, d'un geste tendre, prit Claire par la taille.

— Et si je t'emmenais plutôt manger une pizza ? Cette soirée non plus n'est pas mon genre.

Claire n'hésita qu'un instant avant d'acquiescer. Louis n'était jamais méprisant, il le lui prouvait à chacun de leurs rendez-vous. En revanche, Julia l'était et, trop occupée à vouloir être sur le devant de la scène, elle n'avait aucun sens de l'amitié. Ni de l'observation, d'ailleurs, pour avoir cru que Claire se contenterait du rôle de faire-valoir.

La fête battait son plein, néanmoins leur départ ne passa pas inaperçu, car ils formaient un très beau couple d'amoureux. En sortant, Claire eut une pensée pour son père, qui avait obtenu sa promotion trois jours plus tôt. Satisfaite, elle estima que, désormais, tout était pour le mieux.

Marina
CARRÈRE D'ENCAUSSE

Souvenirs d'enfance

Médecin et journaliste, Marina Carrère d'Encausse a travaillé pour des journaux médicaux et des magazines de santé grand public, avant d'être coproductrice et coprésentatrice, avec Michel Cymes, des émissions médicales « Le Magazine de la santé » et « Allô docteurs » sur France 5. Elle a écrit plusieurs ouvrages sur la santé et trois romans : *Une femme blessée*, *Une femme entre deux mondes* et, plus récemment, *Les Enfants du secret* paru aux Éditions Héloïse d'Ormesson.

Premier jour

— Je crois que j'ai tué un homme.

Régis, le gardien de la paix qui assurait, ce matin-là, l'accueil du commissariat du 16e arrondissement de Paris, crut avoir mal entendu. Penché sur l'imprimante qui, une fois de plus, refusait de s'allumer, il n'avait pas vu arriver la femme. Il se retourna d'un bloc et regarda celle qui venait de lâcher ces quelques mots, d'une voix sourde.

Elle était jeune encore, quarante ans tout au plus. Mince, blonde, jolie, mais un regard fuyant, qui semblait hésiter à se poser. Elle respirait rapidement, comme sous le coup d'une émotion.

— Vous avez dit, madame ?

— Je crois que j'ai tué un homme.

La femme s'était légèrement inclinée vers lui, et avait parlé doucement comme pour ne pas être entendue de ceux qui attendaient dans le hall.

— Mais vous croyez ou vous êtes sûre ? demanda-t-il, interloqué.

— Je crois.

— Vous croyez quoi ? Vous n'êtes pas sûre qu'il soit mort ?

— Non, je ne sais pas si c'est bien lui. Le coffre est fermé.

— Et ?

— En fait c'est un peu compliqué, mais je ne peux pas le voir.

— Mais vous avez mis un homme dans un coffre ?

— Je ne sais pas. Sûrement.

Sentant que la situation lui échappait, Régis décida d'appeler Philippe B., lieutenant de police, de permanence aujourd'hui. Sans quitter la femme des yeux, il composa le numéro de son poste.

— Lieutenant, j'ai une femme à l'accueil, il faudrait que vous l'entendiez, dit-il à Philippe B. dès qu'il décrocha. Je ne peux pas vraiment vous expliquer, mais c'est important. Je reste auprès d'elle en attendant vos ordres.

Ordres manifestement vite donnés puisque, quelques instants plus tard, il guidait la jeune femme le long des couloirs et s'arrêtait à la troisième porte sur la droite. Dans le bureau, Philippe B. était en train de discuter avec sa collègue, Mélanie T.

— Voilà, c'est ici, on va prendre votre déposition, dit Régis à la jeune femme, silencieuse.

Celle-ci s'avança, regarda les deux inspecteurs, hésita puis s'assit face à Philippe B.

— Merci, Régis, dit ce dernier, tu peux nous apporter…

Puis, se tournant vers la femme :

— Vous voulez boire quelque chose, madame… ?

— Madame Cornier, Nathalie Cornier.

— Vous voulez un café, un verre d'eau ?

— Un verre d'eau, je veux bien.

— OK, et fais-nous deux cafés, s'il te plaît.

— Tout de suite, chef.

L'inspecteur observa la femme immobile sur sa chaise. Elle se tenait un peu tassée, en retrait, signe de discrétion, de défense ? Elle semblait désemparée, perdue, l'air de ne pas bien comprendre où elle était. Pourtant, d'après le peu que lui avait dit Régis, c'était elle qui faisait cette démarche.

Souhaitant lui laisser un peu de temps, il attendit le retour de son gardien de la paix. Celui-ci revint vite avec trois gobelets qu'il posa sur la table avant de s'éclipser.

La jeune femme but son verre d'eau puis se redressa et regarda tour à tour Philippe B. et sa collègue qui se tenait debout, derrière lui, son café à la main. Ce fut elle qui prit la parole :

— On vous écoute, madame. Pourquoi êtes-vous ici ?

— Je crois que j'ai tué un homme, répéta Nathalie.

— Pardon ? dit Philippe B.

— Je crois que j'ai tué un homme.

Le regard des deux inspecteurs se croisèrent, aussi interrogatifs l'un que l'autre. Ils en avaient beaucoup entendu, dans ce bureau, depuis qu'ils travaillaient ensemble, mais une telle déclaration, faite avec une voix maîtrisée – même si l'on sentait l'angoisse derrière –, c'était une première.

Mélanie fut la première à se ressaisir.

— Bon, je pense qu'il faut commencer par le commencement. Vous avez une pièce d'identité ?

— Oui, voici, dit-elle en sortant un passeport de son sac.

— Vous vous appelez donc Nathalie Cornier, vous êtes née le 26 août 1981 à Morteau dans le Doubs.

— Oui, c'est cela.

— L'adresse indiquée est la bonne ? 25, avenue Mozart, dans le 16e.

— Oui, c'est cela.

— Quelle est votre profession ?

— Je suis assistante dentaire.

— Vous êtes mariée, vous avez des enfants ?

— Je suis divorcée, j'ai deux enfants. Ils ont quinze et douze ans.

L'inspecteur tapait au fur à mesure les renseignements donnés tout en tentant de comprendre pourquoi cette femme élégante se trouvait devant lui.

— Bien, maintenant, expliquez-nous ce qui s'est passé.

— Mais je ne sais pas, je sais juste que je crois que j'ai tué un homme.

— Pourquoi croyez-vous ? Vous n'êtes pas sûre qu'il soit mort ?

— Je l'ai dit au gardien, je ne peux pas savoir. Le coffre est fermé.

Nouvel échange de regards entre Philippe et Mélanie qui ne voyaient pas bien où allait cet interrogatoire.

— Bon, on va essayer de comprendre parce que, là, honnêtement, on est perdus. De quel coffre s'agit-il ? Celui de votre voiture ?

— Non, je n'ai pas de voiture. C'est le coffre d'une DS. Noire.

— Et à qui appartient cette voiture ? À cet homme ?

— Je crois ; enfin, j'en sais rien.

— Comment ça, vous n'en savez rien ?

— Non, je n'ai fait que la voir, cette voiture. Je suis juste sûre que c'est une DS noire.

— Bien. Et vous l'avez vue où ? Elle est garée ?

— Oui, mais je ne sais pas où.

— Pardon ???

La jeune femme n'aurait pas parlé avec cette voix douce, il aurait explosé, persuadé qu'il perdait son temps. Mais quelque chose chez elle l'intriguait. Elle n'avait pas l'air d'une délinquante ni d'une cinglée, même si ses propos, eux, étaient délirants.

— Reprenons. Quand avez-vous vu cette voiture ?

— Cette nuit.

— Il était quelle heure et où étiez-vous ?

— J'étais dans mon lit, je dormais. C'est ce cauchemar qui m'a réveillée, il devait être 3, 4 heures du matin.

Philippe B. ne put s'empêcher de sursauter.

— Vous voulez dire que cette voiture, vous l'avez vue dans un rêve ?

— Vous vous fichez de nous, là ? intervint Mélanie. C'est quoi, ce truc, vous croyez qu'on n'a que ça à faire ? Vous êtes droguée ou quoi ?

Le ton de la jeune femme montait. Même si Philippe admettait que son intervention se justifiait, il calma la jeune femme d'un geste et poursuivit :

— Mélanie, laisse-la parler. On verra après ce que l'on fait. Poursuivez. Vous avez vu une DS noire dans votre rêve. Elle était garée. Et vous en

déduisez que vous avez peut-être tué un homme.
Je vous ai bien suivie ?

Mélanie regardait son collègue, abasourdie. Lui,
si prompt à hausser le ton et à rudoyer ceux qui se
trouvaient confrontés à lui, semblait faire preuve
de trésors de patience face à ces déclarations sur-
réalistes.

— Oui, c'est cela, répondit encore Nathalie.

— Donc vous ne savez pas où se trouve cette
voiture ?

— Non.

— Et qu'a-t-elle de particulier, cette voiture, pour
que ce rêve vous perturbe à ce point ?

— Parce que je pense qu'il y a un homme dans
le coffre et que cet homme, c'est moi qui l'ai tué.

— Ah, on avance, dit Philippe.

Mélanie le regarda, toujours sidérée. Pensait-il
vraiment ce qu'il disait ?

— Et pourquoi croyez-vous qu'un homme soit
dans le coffre ?

— Car l'arrière de la voiture est tellement lourd
qu'il touche le sol.

— Donc ce pourrait être sous le poids d'un
homme ?

— Pas seulement. En fait, dans mon rêve, je crois
que j'ai ouvert le coffre.

— Et vous avez vu quoi ?

— Du ciment. Tout le coffre est rempli de ciment.

— Et l'homme, vous l'avez vu ?

— Non, je pense qu'il est pris dans le ciment.
Et je crois que je suis responsable. Et c'est terrifiant,
vous comprenez, de se dire que, quelque part, il y
a une voiture garée et dedans un homme que l'on a

tué et coulé dans le ciment. Et que je ne sais pas comment vous aider à retrouver cette voiture. Vous vous rendez compte de ce que je vis, nuit après nuit ? dit Nathalie avec une voix de moins en moins posée et de plus en plus angoissée.

— Ah, parce que ce n'est pas la première fois ?

— Non, ça revient régulièrement. Et là c'est trop. Je voudrais savoir si je suis une meurtrière.

Un silence s'installa. Philippe réfléchissait. Que faire ? Renvoyer cette jeune femme chez elle en lui conseillant du repos et un psychiatre. Mais ces rêves qui revenaient... À moins que...

— Mais vous avez une idée de l'identité de cet homme ?

— Oui, bien sûr.

Mélanie se redressa. Philippe souffla. Enfin quelque chose.

Nathalie poursuivit pour une fois spontanément, sans attendre la question suivante.

— Il s'appelle Antoine C. Il habite à Paris, mais passait ses vacances à Ars-en-Ré, sur l'île de Ré.

— Vous pouvez m'en dire plus sur cet homme et ses vacances, puisque cela semble important ?

— Ça l'est. C'est un cousin de mes parents. Et les vacances, il les passait donc à l'île de Ré, chez nous.

— Chez vous ?

— Oui, dans la maison familiale. Il était seul ; alors, depuis toujours, mes parents l'invitaient pour les vacances d'été.

— Et donc, pourquoi l'auriez-vous tué, selon vous ?

— Parce qu'il a gâché ma vie. Il a détruit mon enfance.

— C'est-à-dire ?

Un nouveau silence s'installa. La jeune femme ferma les yeux. Respira à fond, plusieurs fois. Rouvrit les yeux et s'apprêta à dire l'indicible.

— Quand j'étais petite, il me gardait le soir lorsque mes parents sortaient.

Philippe B. commençait à entrevoir la suite de la déposition et en était, à l'avance, éprouvé. Mélanie le sentit et posa sa main sur son épaule. Tous les deux regardèrent la jeune femme avec douceur, comme pour lui faire comprendre qu'ils étaient avec elle.

— Et ?

— Entre mes six ans et mes neuf ans, il m'a violée. Trois ans de vacances d'été. Trois ans de souvenirs qui, aujourd'hui, m'empêchent de vivre. En fait, je survis. C'est pour cela que je crois que je l'ai tué. Pour vivre. Enfin.

La voix restait calme, mais la jeune femme semblait sur le point de s'effondrer.

— Vous voulez vous reposer un peu ? demanda Philippe.

— Non, je veux bien encore un verre d'eau. Mais je voudrais qu'on en finisse pour qu'on le retrouve. Même si je dois aller en prison, je préfère cela à cette angoisse que j'ai quand je sors de ces cauchemars et que je me dis qu'un jour quelqu'un remarquera cette voiture, son arrière trop bas, ouvrira le coffre, verra le ciment, le détruira et trouvera cet homme. Et un indice mènera à moi, j'en ai la certitude. Ce jour-là, je serai plus morte encore qu'aujourd'hui.

— Mais comment voulez-vous que l'on retrouve cette voiture ? Vous n'avez aucun élément ? Et pourquoi cette voiture ?

— C'est la sienne. Enfin la sienne, je ne sais pas, mais c'est une DS noire, comme la sienne.

— Mais vous l'avez vu quand, cet homme, pour la dernière fois ?

— Il y a si longtemps. L'année de mes neuf ans, il s'est marié ; il a continué à venir en vacances chez nous, mais ne m'a plus touchée. Et puis il a disparu de nos vies quand j'avais quinze ans. Mes parents ne m'ont jamais dit pourquoi. Je n'ai jamais osé leur demander. J'aurais dû raconter, je ne voulais pas.

— Vos parents n'ont rien su ?

— Non, et c'est mieux ainsi.

— Et donc il n'a plus jamais été question de cet homme ?

— Si. Il y a sept mois. Je venais de divorcer, je n'étais pas bien. J'ai confié les enfants à leur père et suis partie une semaine chez mes parents. J'avais besoin d'eux, de leur affection. Et un soir, durant le dîner, ils ont évoqué cet homme. À ce moment précis, je pensais à autre chose, ils parlaient tous les deux, et tout à coup j'ai entendu ma mère dire : « C'est quand même bizarre, cette histoire d'Antoine. Même ses enfants n'ont pas de nouvelles. » Je n'avais pas fait attention au début de leur discussion, mais là ça a été comme un voile qui se déchirait ; j'ai compris qu'on parlait de ce monstre. Il avait disparu ? Mais quand ? Comment ? Je suis arrivée à garder mon calme pour les interroger : « Vous parlez d'Antoine, votre cousin ? Que s'est-il passé ? » C'est là qu'ils m'ont raconté que sa femme les avait alertés. Antoine avait disparu un matin trois mois plus tôt ; il était parti faire des courses près de chez eux et n'était jamais revenu ; il avait fallu du temps pour que la police s'intéresse à cette disparition, car, ce n'est pas à vous que je vais l'apprendre, les adultes ont le droit de partir. On avait fini par enregistrer sa disparition, mais aucune piste ne se dessinait. Sa femme et ses enfants étaient, paraît-il, désespérés. C'est là que mes cauchemars ont commencé. Nuit après nuit. Cette voiture, ce coffre, le ciment. J'en ai conclu qu'il était là et que c'était moi qui l'avais tué.

— Vous dites qu'il était parti faire des courses près de chez lui. Vous auriez son adresse ?

— Oui, c'est dans le 17e, je vous indiquerai l'adresse, mes parents me l'ont donnée, je l'ai notée.

— Bon, on va vérifier, mais revenons à vous. Pourquoi pensez-vous que, tant d'années après ce que vous avez vécu, vous l'auriez tué ?

— Parce qu'il a détruit toute ma vie. Mais pas seulement. Malgré tous mes efforts pour ne pas sombrer, je n'ai pas pu garder mon mari qui n'en pouvait plus d'une femme détruite de l'intérieur. Mon divorce, c'est à cause de lui. Mon mari malheureux, c'est lui. Mes enfants malheureux, c'est lui. Je pense que je me suis dit qu'il fallait enfin qu'il paie. Voilà je crois que je vous ai tout dit.

Nathalie se tut et regarda Philippe B. en le fixant dans les yeux. Il y lut une supplique.

— Vous allez le retrouver ? S'il vous plaît, dit-elle de sa voix douce.

— On a des éléments : son adresse, sa date de disparition, peut-être l'immatriculation de son véhicule, si c'est bien le sien. Nous allons lancer une alerte. Mais vous vous rendez compte des conséquences, si nous le retrouvons, mort, dans le coffre de sa DS ?

— Oui, mais je préfère cela à devenir folle. Car je suis en train de le devenir, vous savez, avec ces rêves, encore et toujours. Je suis fatiguée maintenant, je peux partir, s'il vous plaît ?

Elle semblait effectivement épuisée. Cela faisait trois heures que durait cet entretien si singulier. Mais l'inspecteur hésitait. Que faire ? Fallait-il la laisser partir en prenant le risque qu'elle disparaisse ? Ou la garder. Mais à quel titre ? Parce qu'elle avait fait des rêves où une voiture avait un coffre abaissé ? Le procureur n'accepterait jamais une garde à vue sur ces éléments.

La jeune femme attendait. Ses yeux se fermaient par moments. Mais l'angoisse qui l'habitait auparavant semblait avoir disparu après cette confession.

Philippe prit sa décision.

— Vous allez pouvoir rentrer chez vous une fois que vous aurez signé votre déposition. Je vous tiendrai au courant de nos investigations. Et surtout vous ne vous éloignez pas.

— Non, bien sûr, où voulez-vous que j'aille ?

Le document imprimé, relu et signé, la jeune femme se leva. Philippe la reconduisit jusqu'à l'accueil, la salua et la regarda s'éloigner, se demandant un instant s'il n'avait pas rêvé tout cela. De retour à son bureau, il retrouva Mélanie.

— Tu en penses quoi ? J'ai eu tort de la laisser partir ?

— Non, honnêtement, il n'y a rien contre elle. Mais tu y crois, à cette histoire ?

— Je ne sais pas. Mais tu sais comme moi que tout est possible. Je vais faire un rapport et aller dès demain me renseigner au commissariat du 17e sur cette disparition et lancer une recherche sur sa voiture. Comme ça, au moins, on sera tranquilles. Ou tout est faux et on en aura été quittes pour une longue matinée bizarre. Ou l'homme a disparu pour retrouver une petite plus jeune que sa femme. Ou…

— Ou tout cela est vrai et je te paie un super dîner, car moi je n'y crois pas une seconde. En tout cas, il est temps de déjeuner, pour l'instant je te paie le bistrot en bas, ça va ?

— Oui, ça nous fera du bien.

Une semaine plus tard…

Il était 8 heures du matin. Philippe et Mélanie quittèrent le commissariat pour se rendre au 25, avenue Mozart, tout près de là. Ils poussèrent la porte de l'immeuble pour découvrir une cour flanquée d'oliviers qui desservait trois maisons. On se serait cru à la campagne, tant l'impression de calme dominait à quelques mètres de cette avenue bruyante.

Ils se dirigèrent vers la porte que leur avait indiquée Nathalie ce matin-là quand ils l'avaient appelée, lui disant qu'ils voulaient la voir pour de bonnes nouvelles.

Elle ouvrit à la première sonnerie. Elle semblait plus détendue, reposée, et parut à Philippe encore plus jolie.

— Entrez, je vous en prie. Merci d'être venus jusqu'ici.

Elle les guida jusqu'à un vaste salon, très clair. La porte-fenêtre donnait sur un petit jardin. On y avait planté des arbustes qui lui conféraient un air sauvage. L'inspecteur rêva d'en avoir un jour un similaire. Même s'il savait qu'avec ses revenus, ce ne serait pas chose facile.

— Asseyez-vous, leur dit-elle en désignant deux fauteuils qui faisaient face à une superbe cheminée.

Elle-même s'assit sur le canapé, face à eux.

— Voulez-vous boire quelque chose ?

— Non merci, nous avons peu de temps, mais nous n'avons pas voulu attendre pour vous informer de ce que nous avons trouvé. Mélanie, je t'en prie, dit Philippe en se tournant vers sa collègue.

— Alors voilà, madame Cornier. Nous avons procédé à des vérifications. Effectivement, Monsieur C. a disparu voilà dix mois, mais pas vraiment sans laisser de trace. En fait, sa femme a reçu il y a peu une lettre de son mari. Ou plutôt bientôt ex-mari, car il lui explique qu'il ne veut pas être retrouvé. Qu'il a rencontré une femme il y a plusieurs mois et en est tombé amoureux. Mais qu'il n'a rien pu lui dire tant elle était jalouse et menaçante quand elle avait des soupçons. Il lui dit même qu'il a toujours eu peur d'elle, mais attendait que les enfants soient grands pour la quitter. Cela étant fait, il a eu diverses aventures, lui raconte-t-il, jusqu'à cette jeune femme qui est pour lui la douceur à laquelle il n'a jamais eu droit. Et pour ne pas gâcher cette belle chance, il a préféré partir pour refaire sa vie ailleurs, loin, a-t-il précisé.

— Ça tient debout, cette lettre ?

— Eh bien, nos collègues ont vérifié, et cet homme pouvait avoir peur. Il avait déposé des mains courantes, car sa femme l'avait déjà frappé.

— Un homme frappé, ça existe ?

— Bien sûr, et plus souvent qu'on ne le pense.

— Bon, de toute façon, je ne vais pas le plaindre. Vous ne savez donc pas où il est ?

— Non, puisque l'action s'arrête là. Cet homme a disparu pour refaire sa vie, c'est son droit. Il a vidé ses comptes personnels. Point final.

— Mais la voiture, alors ?

Mélanie sourit.

— On l'a retrouvée, elle. Apparemment, il a laissé sa voiture en partant. Elle était garée juste à côté de chez lui.

— C'est bien une DS noire ?

— Oui.

— Et l'arrière était abaissé ?

— Oui.

La femme pressait de questions l'inspectrice. Son calme avait disparu. L'inquiétude revenait.

— Vous avez ouvert le coffre ?

— Oui.

— Et ? Arrêtez de jouer, dites-moi, s'il vous plaît.

— Il n'y avait pas de ciment coulé, mais…

Mélanie laissa passer un temps, souriant en regardant Nathalie qui attendait la suite.

— … des sacs de ciment. Tout le coffre en contenait, c'est cela qui alourdissait l'arrière de son véhicule. C'est certes curieux, mais vous savez, Monsieur C. avait une entreprise de maçonnerie, donc on a supposé qu'il avait dû entreposer des sacs dans sa voiture. Pour quelle raison ? On ne sait pas, mais on ne va pas lancer une enquête là-dessus, bien sûr, conclut-elle en souriant toujours.

— Donc ça veut dire que je n'ai rien fait ?

— Oui, soyez rassurée. À moins que vous n'ayez tué puis réduit en poudre cet homme avant de mélanger ces restes avec le ciment. Nous sommes d'accord, vous ne l'avez pas fait ? Non. Bon, donc soyez tranquille, reprenez votre vie et, si je peux me permettre, de femme à femme, faites-vous aider. Vous méritez une vie apaisée.

Nathalie lui sourit à son tour. Elle était visiblement touchée par les propos de cette femme délicate.

— Merci. À tous les deux. Vraiment. Vous n'imaginez pas, je ne m'attendais pas à tant de bienveillance.

— Nous n'avons fait que notre travail, intervint Philippe. Mais nous sommes heureux d'avoir pu vous aider. Sincèrement. Et je suis d'accord avec ma collègue, profitez de votre vie.

Nathalie raccompagna les deux policiers en les remerciant encore une fois.

Pendant que Mélanie et Philippe regagnaient le commissariat en se disant – respectivement – qu'elle avait rencontré une femme étonnante et qu'il ne serait pas contre le fait de la revoir, Nathalie se dirigea vers le jardin. Elle ouvrit la porte-fenêtre et dit tout haut, comme si les policiers étaient encore là :

— Un peu, que je vais profiter de ma vie, maintenant. Avec une vue pareille.

Elle se dirigea vers l'olivier planté à l'extrémité du jardin, s'arrêta à quelques pas, regarda le sol et continua avec une voix d'où toute douceur avait disparu :

— Tu vas me tenir compagnie, maintenant, connard. Toute ma vie je t'aurai à mes pieds. Et désolée, je ne savais pas que toi aussi tu avais souffert. Ta femme te frappait, ça alors, c'est trop drôle. Quand, dans cette lettre que tu as soi-disant écrite à ta femme, j'ai parlé de sa jalousie, je n'aurais jamais pensé que celle-ci se manifestait par des crises de violence. Comme quoi, on est toujours en dessous de la vérité. En tout cas, avec ce que j'ai récupéré sur tes comptes, je vais pouvoir profiter de la vie, à présent. Ils étaient mignons, ces flics, non ? Il y a des sacs de ciment parce que tu travaillais dans la maçonnerie, ben voyons. En tout cas, cela m'a bien épuisée, de remplir ton coffre avec cette merde, mais il fallait que ce rêve soit un peu crédible. Ils n'ont juste pas imaginé que j'avais gardé un de ces sacs, et que ce ciment, tu l'as bouffé. C'est drôle, tu n'as pas trop aimé, je crains. Ta mort n'a pas été confortable, j'en suis vraiment navrée. Mais désormais tu es là, près de cet olivier, tranquille, et moi je veillerai sur toi. C'est bien ce que tu voulais, quand j'étais petite, non ? Tiens, rien qu'à cette idée, je vais m'ouvrir un peu de champagne.

Nathalie revint dans la maison, sortit une bouteille d'un très bon champagne de son réfrigérateur. La déboucha et se servit une coupe. Puis, appuyée contre la porte-fenêtre qui donnait sur le jardin, elle leva son verre en direction de l'olivier :

— À la tienne, connard.

Jean-Paul DUBOIS

Dag Hammarskjöld

Jean-Paul Dubois a démarré sa carrière comme journaliste, puis grand reporter, ce qui lui a permis d'examiner au scalpel les États-Unis des années 2000 et d'en livrer deux livres de chroniques salués par la presse et le grand public. Il a également publié de nombreux romans, qui ont été couronnés de prix prestigieux, dont le Prix Goncourt pour son livre *Tous les hommes n'habitent pas le monde de la même façon* aux Éditions de l'Olivier. En 2021, il a publié *Si ce livre pouvait me rapprocher de toi*, chez le même éditeur.

Bien sûr il y a la route nationale. La voiture, conduite à toute allure. L'ombre des platanes qui adoucit l'haleine de l'été. La vitesse qui siffle et se faufile entre les vitres entrouvertes en fouettant et dispersant les odeurs fortes du tabac. Parce que la mère et le père fument. Parce qu'ils ont toujours fumé et fumeront jusqu'à la fin. Parce qu'en 1961, tout le monde fume. En conduisant, en mangeant, en dormant. Les enfants aussi fument la fumée des parents. Et quand on finit par tousser trop longtemps on va voir le médecin qui lui aussi toussote en fumant pendant la consultation. En cette année 1961, on conseille également aux cardiaques de boire quelques verres de whisky pour flatter leurs coronaires.

Le père appuie sur l'accélérateur. L'aiguille du tachymètre monte dans les tours. Le père est fier de son moteur. Il aime sa voiture Simca modestement baptisée Trianon. Il aurait bien aimé acheter une Versailles ou une Chambord, modèles ultimes de la gamme, mais la mère les trouvait trop voyantes. Alors le père se console en se disant qu'elles ont toutes les trois le même moteur, un V8 Ford de 2,3 litres, à trois rapports.

En 1961, toutes les voitures ont des boîtes de vitesses à trois rapports. Et l'enfant trouve que cela est largement suffisant pour mourir en famille sur cette route de trois cents kilomètres qui mène jusqu'à l'Océan. Et au travers de la vitre, il guette les croix qu'à l'époque on plantait sur les bas-côtés, après un accident, pour donner aux vivants l'avant-goût de la mort.

Mais l'enfant n'a pas peur. À onze ans, un enfant n'a peur de rien. Ni de la vitesse, ni du tabac, ni des platanes, ni des crucifix qui se multiplient sur cette portion de trajet pentue et tortueuse, qui porte le nom de « rampe de Capvern ». C'est cet endroit que le père affectionne par-dessus tout. Il aime doubler de manière aventureuse entre deux virages. La mère lui dit qu'il se prend pour Fangio. Et il aime beaucoup l'entendre lui dire ça. Juan Manuel Fangio est encore dans toutes les mémoires. Avant de quitter les circuits en 1958, il a été le plus grand pilote automobile de tous les temps. Et depuis, partout dans le monde, dès qu'un père de famille lance son petit moteur dans un dépassement excentrique, il y a toujours une mère pour lui rappeler qu'il n'est pas Fangio.

Et donc l'enfant, assis à l'arrière, compte les croix tandis que les nuques de ses parents ballottent de droite à gauche au gré des virages serrés de la fameuse « rampe ».

Pour l'enfant, depuis toujours, ce voyage rituel vers l'Océan est l'annonce d'un « âge sombre », d'une période durant laquelle il va être coupé de tout son minuscule monde d'adolescent, de sa vie tâtonnante, de ses amis joyeusement stupides, pour se retrouver face aux perspectives rectilignes de ses géniteurs. Il redoute chacune des minutes de ces trente ou trente et une journées où il va devoir jouer à plein temps le rôle d'un enfant qu'il est certain de ne plus être.

Roulant à tombeaux ouverts, comptant les croix, il respire, à défaut de sérénité, le tabac familial à pleins poumons. Des Gitanes pour le père, des Chesterfield pour la mère. Il aime bien voir la fumée se faufiler entre leurs lèvres tandis qu'ils expirent en parlant.

Lui aspire à une autre vie. Il n'a pas envie de Trianon ou de cigarettes à bout filtre. En revanche ces trajets sinistres vers les vacances lui font prendre conscience à quel point il est seul. Son esprit tourne en rond dans sa cellule d'enfant unique, sa petite prison à vie. Il sait qu'il est enfermé dans ce silence à perpétuité. Qu'il n'aura jamais personne à qui parler durant cette longue pérégrination qu'est l'enfance, puis la jeunesse. Il devra toujours se poser des questions et se bricoler lui-même des réponses avec ce qu'il aura sous la main. Il sait que les parents ne sont d'aucune utilité. Ils pensent autrement et parlent une langue étrangère. Tous les soirs de l'année, il envie ses amis qui rentrent chez eux en sachant simplement qu'un frère ou une sœur les attend. Et que le soir ils pourront leur parler dans le noir.

Le père est en train de faire le plein du réservoir de la Trianon. Il s'arrête toujours dans une station Esso. Les parents sont ainsi. Ils ont des habitudes étranges. L'enfant aime bien l'odeur entêtante du super. Le pompiste lave le pare-brise et propose de

vérifier le niveau d'huile. Le père répond orgueil-
leusement que le moteur n'en consomme jamais.
De l'autre côté de la pompe, une Frégate se gare,
avec, à l'arrière, trois enfants qui se disputent.

Dans la Trianon, cela n'arrive jamais. Pas d'alter-
cations. Juste des parents qui discutent calmement
ou fument en écoutant la radio. À l'arrière, l'enfant aime bien l'heure des nouvelles. C'est comme
si chaque heure une porte s'ouvrait et un bout de
monde vivant entrait dans la voiture. Conséquence
de sa solitude, le cerveau de l'enfant développe
des pratiques singulières. Il retient des noms pris à
la volée sur les membranes du haut-parleur et les
mémorise instantanément. Ensuite l'enfant les répète
silencieusement pendant des jours et des semaines
dans sa caverne mentale. Pourquoi tel nom et pas
un autre s'impose-t-il dans sa solitude ? Il n'a jamais
réfléchi à cela. Il se contente d'enregistrer. Et de
restituer. En cette fin d'été 1961, sur la banquette
de la Trianon, il répète souvent le nom de cette
personne que l'on cite quelquefois à la radio. C'est
un nom invraisemblable, à peine prononçable, et
pourtant, il glisse sur sa langue comme le ventre
d'une dragée. Il a entendu que cet homme est le
dirigeant de l'Onu. Il a aussi vaguement compris
qu'il essaie d'empêcher des guerres au Congo.
En revanche, il ignore qu'il est né à Jönköping en
Suède, qu'il est fermement croyant et que, pourtant, ses jours sont comptés. Mais ce dont il est
certain, c'est que pendant toutes ces semaines de
vacances, cet homme sera sans doute son ami le
plus proche, le plus intime, son confident. Et chaque
fois qu'il en éprouvera l'envie, sans se préoccuper

des parents, et avec gourmandise, il dira son nom : Dag Hammarskjöld.

L'enfant est bien incapable d'écrire ce patronyme, mais il le prononce parfaitement, tel qu'il l'a entendu à la radio. Phonétiquement c'est très simple : Dag Hamarshuuld.

Le père a actionné les balais d'essuie-glace. Cela veut dire que l'on se rapproche du Pays basque. L'enfant n'a rien contre la pluie. Bien au contraire.

L'enfant sait où il va. Toujours la même petite maison avec son mobilier de location. Rien d'extra-ordinaire ni de remarquable sinon qu'à l'intérieur tout semble recouvert d'un vieux vernis de tristesse et d'ennui. L'enfant trouve que cette petite maison lui ressemble. Les jours de pluie, les pièces sont sombres. Les jours de soleil aussi. Les parents lui attribuent toujours la même chambre. Elle donne sur la baie de Chingoudy. C'est un joli nom qu'il a aimé, un temps, prononcer. La maison se trouve dans la petite ville d'Hendaye qui est séparée de Fontarrabie, en Espagne, par la rivière Bidassoa.

Le père décharge les bagages de la Trianon. L'enfant l'aide. Il aime se rendre utile.

Quand il ouvre les contrevents de sa chambre, la pluie lui fouette le visage. Pour la première fois depuis le départ de Toulouse, il sourit. Et répète plusieurs fois le nom de son ami. Dag Hammarskjöld.

Passent les jours et quelquefois les pluies. L'enfant connaît parfaitement les rituels des parents et s'y plie. Les matins filent entre les courses à Irun et le marché aux poissons de Saint-Jean. Quant aux après-midi, ils s'empilent à l'identique sur la plage de sable, près du casino. Pour l'enfant, ce sont les pires heures de la journée, les heures durant lesquelles il a honte à la fois de sa jeunesse et de la vie de ses parents.

Il ne comprend rien à ces gens qui vont au bord de l'Océan, plantent un petit parasol, s'assoient sur un siège pliant et passent l'entier de leur après-midi à lire leurs dossiers exactement comme ils le font tous les autres jours de l'année dans leurs bureaux respectifs.

Le père a un petit cabinet de contentieux et la mère est correctrice dans une maison d'édition spécialisée dans les ouvrages historiques. Tandis que tous les autres parents cavalent au bord de l'eau, nagent dans les vagues, jouent au volley avec leurs gosses, s'exercent au jokari, le père étudie ses bouquets de dossiers rangés dans des chemises à élastique de couleurs différentes, tandis que la mère annote à l'infini avec ses signes cabalistiques des manuscrits qui racontent l'histoire d'un monde qui n'en finit pas de tâtonner. Et ils sont là pareils à deux blocs de roche, immobiles, insolites au milieu d'une vie grouillante, leurs lunettes aux yeux, leurs stylos en main, à rectifier et corriger la vie qui passe, en attendant la fin de l'été.

Il arrive à l'enfant d'aller nager dans l'Océan plus longtemps qu'il ne devrait. Il nage jusqu'à claquer des dents, jusqu'à avoir les lèvres bleues. Il nage tous les jours pour ne pas sombrer avec les siens. Il nage pour rester à flot, essayer de ressembler pour un temps aux enfants de son âge qui jouent avec leurs mères, se battent avec leurs frères et apprennent à nager avec leurs pères. Quand il les voit ainsi, vivre simplement et courir autour de lui, ruisselants, le corps et la voix exaltés, il se dit que le bonheur doit habiter quelque part au bord de la mer.

Quand il s'en retourne vers les sièges jumeaux, il les retrouve tels qu'il les a laissés, mines en main, pages scrutées, parasol ajusté.

Dès que l'enfant arrive au Pays basque, et cela fait quelques années, il se prend à souhaiter parfois la mort de ses parents. Il ne peut l'avouer à personne, mais c'est ainsi. Il leur en veut de le priver des joies simples de l'enfance, et leur impute l'absence d'un frère, d'une sœur. Bizarrement, c'est très tôt qu'il s'est dit que le père et la mère n'auraient jamais dû avoir d'enfant. Ni lui des parents.

Et quand il revient de ses bains contraints, voir ainsi les siens, assis et sereins, le rend immensément seul et orphelin.

Parfois la pluie ou un coup d'embata le sauve. Délesté de sa honte, il reste dans sa chambre à regarder les bateaux tanguer, accrochés à leurs corpsmorts. Parfois les parents vont faire quelques courses à San Sebastián. Alors il les suit. Il aime cette ville et se dit que quand il sera grand il apprendra l'espagnol et viendra habiter ici.

Dag Hammarskjöld. Aujourd'hui il ne cesse de répéter le nom de son ami. Dans la voiture, aux informations, le speaker a parlé de lui et de la Rhodésie à plusieurs reprises. Sur la route du retour vers Hendaye, l'enfant demande à son père ce qu'est l'Onu et où se trouve la Rhodésie. Dans l'ordre, le père répond : « L'Organisation des Nations unies, et la Rhodésie est en Afrique. » Et puis le père demande à la mère si elle a bien pensé à lui acheter des cigarettes « Bisonte ».

La rentrée des classes de 1961 est curieusement fixée cette année-là le vendredi 15 septembre. Les parents, d'habitude si respectueux des conventions, décident, pour des raisons que seul le destin eut à connaître, de s'affranchir de la règle et de ne retourner à Toulouse qu'au soir du mardi 19.

La mère marche avec l'enfant sur la promenade le long de la plage et lui montre les tamaris en fleur. Il se sent bien en sa compagnie pour la première fois depuis le début des vacances. Sachant que son calvaire estival est sur le point de se terminer, il a même envie de la prendre dans ses bras, mais il n'ose pas et répète trois fois Dag Hammarskjöld.

Le père pendant ce temps commence à ranger la maison. Le départ est pour après-demain. Pour le dîner, il emmène la famille dans un restaurant de Fontarrabie. La mère commande un poulet basquaise, le père une omelette à la piperade et le fils des seiches à l'encre. C'est un repas comme la famille n'en a pas connu depuis longtemps. Empreint de vie et même de joie. La mère raconte des histoires drôles d'écrivains prétentieux qui font pourtant des fautes d'orthographe à tous les mots, le père s'enorgueillit, avec toutes sortes de petits détails, d'avoir doublé et semé une Mercedes Ponton dans la montée de Capvern, et l'enfant, oubliant sa solitude, au pied du bonheur, se demande pourquoi cet homme et cette femme, ce soir si joyeux, n'ont jamais joué ou couru sur la plage avec lui.

Lundi 18 septembre 1961. L'esprit de l'enfant glisse encore dans la douceur des soieries de la veille.

Il s'en veut d'avoir eu honte de ses parents, d'avoir souhaité leur mort. Il se demande s'il arrive à tous les enfants de penser parfois des choses pareilles. Il ne veut plus être orphelin. Juste apprendre à nager, devant le casino, entre le père et la mère. Mais aujourd'hui le temps est gris et le père emmène toute la famille au sommet du Jaizquibel d'où il espère voir s'étirer toute la côte et les montagnes du Pays basque. Mais la brume s'installe sur les crêtes. Le père, la mère et l'enfant sont descendus de la Trianon. Sur le visage ils ressentent le léger picotement d'une très fine bruine. Ils guettent une trouée dans les nuages qui leur permettrait d'apercevoir l'Océan. Le temps passe et ils restent là, silencieux, attentifs. Ils entendent le cri lointain des corbeaux. L'air est immobile, le calme immaculé. L'enfant se tient debout entre le père et la mère, il leur prend la main, et au plus profond de son cœur répète plusieurs fois Dag Hammarskjöld.

La Simca quitte la cime du Jaizquibel. Le père allume une Bisonte et la mère une Chesterfield. Le brouillard est dense, la route étroite, et la voiture bien lourde. Pourtant le père aime la malmener dans les virages. Il en enchaîne plusieurs avec adresse et puis l'avant se dérobe. La mère pose ses mains sur le tableau de bord, le père s'agrippe au volant, et le choc, au moment où la voiture heurte le parapet, précipite l'enfant vers le pare-brise. Ensuite, un bref moment de calme et de silence durant lequel chacun semble flotter en apesanteur, puis, tout au bout de la chute, le bruit effroyable de l'écrasement.

Le lundi 18 septembre 1961, l'enfant devient officiellement orphelin à 13 h 50, heure officielle de la mort de la mère et du père, constatée par les secours. Éjecté lors du choc initial, l'enfant a pu être transporté et soigné à l'hôpital San Juan de Dios.

Le lundi 18 septembre 1961, à peu près à la même heure, l'avion Douglas DC-6 du secrétaire général de l'Onu, Dag Hammarskjöld, s'écrase à Ndola, en Rhodésie du Nord. Dans la poche de la veste du secrétaire général on trouve la traduction française de *L'Imitation de Jésus-Christ* du moine néerlandais du Moyen Âge Thomas a Kempis.

Plusieurs enquêtes indépendantes donnent très vite à penser qu'il ne s'agit pas là d'un accident, mais que l'aéronef a été abattu.

Après vingt-quatre jours de coma, l'enfant reprend conscience. Il lui faudra trois opérations et plus de quatre saisons pour récupérer son intégrité physique et tenter de reprendre le cours normal de sa vie. Ce n'est que deux ans après l'accident qu'il découvre qu'il est devenu orphelin deux fois dans la même journée.

Depuis plus de cinquante ans, il monte régulièrement au sommet du Jaizquibel, descend de sa voiture, se place, de mémoire, entre son père et sa mère, puis, quel que soit le temps, répète plusieurs fois au plus profond de lui ce nom qui l'accompagnera toute sa vie : Dag Hammarskjöld.

François D'EPENOUX

On ne joue plus

Il était l'un des plus beaux représentants d'une dynastie familiale qui comptait dans ses rangs de sacrés spécimens. De drôles d'oiseaux, posés en équilibre sur une branche bien particulière de l'arbre généalogique, et identifiée comme telle. Des bancals, des bohèmes, mal dans leur peau et mal dans leur époque, parfois soucieux des apparences, voire de l'apparat, mais toujours désespérément décalés.

Citons un arrière-grand-père officier, mort au champ d'honneur, héros de la Grande Guerre, mais trop poète pour être bon gestionnaire et finalement victime de margoulins. Un grand-père monarchiste qui collait le timbre à l'effigie de Marianne la tête en bas sur son courrier, fuyait les mondains d'Arcachon pour aller se réfugier dans ses roseaux sauvages et y dessiner des martins-pêcheurs. Un grand reporter mi-châtelain, mi-aventurier, qui trouvait son salut dans les déserts africains, au plus près des conflits, si possible. Un écrivain malheureux d'avoir à se couler dans le moule d'une société honnie, et pourtant obligé de la servir en se corrompant avec la gent publicitaire. Des moniteurs de ski hauts en couleur, jumeaux flamboyants – les Jum's – sillonnant les Alpes en Peugeot 403 entre deux rifs de Santana. Et même un zadiste, authentique utopiste, mais courageux dans ses actes, vivant dans une cabane au milieu du marais nantais. Rien que des mal adaptés, des pièces qui ne trouvent pas leur place dans le puzzle. Tous liés par une même force centripète les déportant hors du réel et de ses codes. Loin des critères des petits-bourgeois sentencieux, toujours enclins à voir de simples bons à rien dans les êtres un peu à part.

Lui, c'était encore autre chose. Pantalon blanc, chemise bariolée, plus un poil sur le caillou, mais beaucoup, en revanche, sur son torse athlétique, il avait une silhouette reconnaissable entre mille. Une gueule tout en rides et en rires, fallait voir ça. Un charme d'Arsène Lupin prompt à vous voler un sourire d'une pirouette, à vous cambrioler l'âme d'un trait d'esprit. La quarantaine sportive, marchant souvent pieds nus, il avait la démarche souple, aérienne, de qui va là où il veut aller, sans entrave. Outre la montagne, sa seule religion était les Bugatti qu'il avait bricolées à Saint-Germain-des-Prés, et puis le jazz, et puis le fromage dont il pouvait finir un plateau sans coup férir et puis les puces de Saint-Ouen où il s'habillait. De métier, point, ou alors instable et uniquement alimentaire. Mais de l'aura, ça oui, et le charisme que confère la vraie liberté. Sa fille Nanon l'appelait Papillon.

Il nous faisait rêver, nous faisait jouer avec les Ferrari de son circuit 24 occupant tout l'espace de son grenier mansardé, plantait des échelles de peintre dans les basses eaux de l'étang de Lacanau pour que nous puissions plonger à notre guise, transformait des landaus en diligences pour nous tracter dans les dunes et parfois, pourtant sans le sou et perclus de dettes, débarquait au volant d'une GT italienne pour nous emmener faire un tour. Un magicien comme on n'en fait plus, heureux de bluffer au poker du destin sans avoir toutes les cartes en main. Bref, on l'adorait. Et on le surnommait Oncle Tiff parce que ses tifs, on l'a vu, il les avait tous perdus – sauf sur les côtés.

★
★ ★

Les Jum's étaient les fils de l'Oncle Tiff et jusque-là, à eux comme à moi, il nous avait tout fait en matière de jusqu'au-boutisme. Un matin, il nous avait surpris en train de dévaler une rue en zigzaguant parmi les voitures, à trois sur un cha-riot à roulettes dont une poignée de Caddie faisait office de direction. La descente était sérieuse et nous risquions l'accident à chaque virage. En lieu et place de l'engueulade attendue, quelle n'avait pas été notre surprise (et notre bonheur) de nous entendre dire : « C'est bien, les garçons, mais que diriez-vous de démarrer d'un peu plus haut pour aller plus vite ? »...

Un autre jour, alors que nous avions renouvelé l'exploit sur une départementale en pente très raide, mais cette fois chevauchant l'épave d'un Solex sans moteur roulant à même les jantes (moi sur la selle et tenant le guidon, les Jum's sur le porte-bagages), le

même genre de réplique désolée nous avait cueillis :
« Pas mal, mais vous pouvez gagner en vitesse, à
mon avis… »

Et que dire de ce dimanche où nous avions mis en
route le moteur d'un hors-bord à la dérive, en pleine
tempête, toujours sur le lac de Lacanau ? Cette fois,
quand même, nous avions craint le pire, une volée
de bois vert mémorable – on ne sait pas comment,
dans nos folles embardées et notre excitation, l'hélice
du bateau n'avait pas transformé l'un de nos mollets
en steak haché. Eh bien non, même pas. Oncle Tiff
n'avait pas moufté. À peine un « Faites gaffe quand
même », et encore.

Bien sûr, tout cela restait entre lui et nous.
Le secret allait dans les deux sens – un peu comme
la fois où sa Peugeot 504 avait fait un bond façon
rallye du Maroc parce qu'il n'avait pas vu arriver le dos-d'âne d'une voie ferrée. Et qu'il roulait
beaucoup trop vite, avec nous tous à l'arrière, non
attachés, bien entendu. Dans le saut, nous avions
rebondi sur la banquette comme des grenouilles,
nous cognant en chœur la tête au plafond. Mais
chut, pas un mot. Après tout, on était ravis et lui
gardait son âme d'enfant. Échange de bons procé-
dés. Pas question de balancer quoi que ce soit aux
autres adultes. Croix de bois, croix de fer, si on
mentait on allait en enfer.

*
* *

Alors oui, c'est peu dire qu'il nous en avait fait
voir de belles, Oncle Tiff. Mais ce mois de juillet-là,

celui qui nous intéresse, il s'était surpassé. Car
« c'était l'été, évidemment… », ainsi que le chantait
Dalida à peu près à la même époque. Un été brûlant, craquant d'aiguilles de pin, vibrant de chaleur.
Avec les Jum's, nous avions trente ans à nous trois.
Trois gamins dorés sur tranche, la peau poisseuse
de sel et de sable, baignant dans le temps infini des
vacances d'alors.

La maison au bord de l'eau connaissait l'affluence
des grands jours. Les tablées n'en finissaient pas,
les chambres étaient pleines, le jardin rempli de
gamins en robes de chambre qui refusaient d'aller
se coucher. Ce soir-là, au détour d'une conversation,
Oncle Tiff avait entendu que les « jeunes » – comprenez le quatuor de cousins et cousines dont l'âge
courait de seize à dix-neuf ans – étaient allés camper
dans les lointains confins du lac. Vers le canal filant
en direction d'Arès, « pas loin de la vieille écluse »,
avait annoncé mon cousin Édouard, l'organisateur.
Autrement dit : un no man's land sauvage où tout
n'était que marécages, pontons mités et cabanes de
chasseur enfouies dans la végétation.

L'endroit était notoirement peu accessible, hostile,
davantage fréquenté par les moustiques que par les
touristes qui n'y mettaient jamais une tong. Nul ne
s'y aventurait, et c'est sans doute cet aspect exotique,
retiré de tout, qui avait incité les campeurs à aller
y planter leur tente. Au moins là-bas ne seraient-ils
dérangés par personne, au moins seraient-ils tranquilles pour faire un feu – ce qui était totalement
interdit –, déjouer la surveillance des forestiers, se
dragouiller un peu et même fumer des cigarettes.
Nous avions appris que la belle Caroline s'était jointe

à l'expédition, et cette précision ajoutait du piment à l'affaire. Caroline fumait des Marlboro, elle était très bien faite et le bronzage de ses jambes contrastait joliment avec son bikini. Si nous avions été des moustiques des marais, nous aurions su précisément où nous poser sur sa peau satinée.

Moustique ou pas moustique, quelle mouche avait piqué Oncle Tiff après le dîner ? Délaissant la partie de Scrabble rituelle et le verre de rhum qui allait avec, prétextant n'importe quoi auprès des autres adultes pour nous emmener (la mise à l'eau de cordeaux pour braconner des anguilles, j'imagine), il était venu nous trouver dans notre chambre, où nous étions, les Jum's et moi, plongés dans un *Michel Vaillant* ou une partie de Mille Bornes. C'est là qu'il nous avait exposé son plan, lequel tenait en quelques mots : « aller faire une surprise aux campeurs ». Nous n'avions pas osé comprendre. Comment ça, aux campeurs ? Les grands cousins, les grandes cousines, sous la tente, là-bas, dans la nuit noire ? Ceux-là mêmes. Et les parents ? C'était réglé. Même pas besoin de nous rhabiller, un pull sur nos pyjamas et on pouvait partir sur-le-champ. Ce que nous fîmes, fous de joie. Avec Oncle Tiff, on ne s'ennuyait jamais.

Un quart d'heure plus tard, la voiture s'arrêtait en bordure de forêt. Nous n'avions rien à faire là, nous avions un peu peur et ce délicieux frisson d'interdit ajoutait au plaisir de l'aventure. La lune était belle, les sous-bois bleu nuit et dans ce décor d'encre nos silhouettes allongeaient leurs ombres, minuscules néanmoins au regard des fantômes gigantesques que les pins dressaient sous la voûte céleste.

Devant nous, Oncle Tiff évoluait à son aise parmi brandes, fougères, genêts et chênes verts. La forêt, il la connaissait par cœur, y compris, comme ici, dans ses recoins les plus perdus : pêcheur invétéré, il s'y rendait parfois pour y traquer le brochet ou le calicoba. La mousse sur le sable amortissait ses pas. Quant à nous, petits trolls sous le firmament, nous étions priés de ne pas faire le moindre bruit.

Tout à coup, nous les avons entendus. Des voix étouffées, d'abord, quelques rires, à peine. Oncle Tiff a stoppé net, chien à l'arrêt, oreille tendue, nous intimant de faire de même. Mon cœur battait fort, trop fort. Je n'étais pas loin de craindre qu'il ne trahisse ma présence. Mais non, là-bas dans la clairière, sous la grande tente de scouts ressortie pour l'occasion, ça continuait de papoter et de glousser comme si de rien n'était. À force d'approcher à pas de loup, choisissant nos appuis sur le sable cendré, nous étions maintenant tout près. À l'affût. Tapis dans une ombre à laquelle nos yeux commençaient à s'habituer. Derrière les fûts des pins, le vulnérable abri de toile était maintenant en vue, unique îlot de vie humaine et de lumière dans un océan de ténèbres.

C'est alors que c'est arrivé. C'est alors qu'Oncle Tiff a rempli ses poumons, a mis ses mains en porte-voix et a poussé le pire cri qu'il m'ait jamais été donné d'entendre. Quelque chose d'inédit, de primal, entre le hurlement humain et le brame. Quelque chose d'un animal fou. Même nous qui en connaissions la source, même nous qui étions dans le coup en avons eu le cœur figé, le sang glacé. C'est dire l'effet qu'à cinquante mètres il avait pu produire. D'ailleurs là-bas aussi, tout s'était figé en une fraction de seconde. Tout s'était éteint, à l'image des lampes torches. La plainte mugissante qui venait de déchirer la nuit venait de plonger les Robinson dans la terreur et l'attente.

Il a fallu plusieurs secondes pour qu'un chuchotement se fasse entendre – bredouillant, mal assuré. On n'entendait que lui. Comme si le campement était à deux pas.

— C'était quoi ?

— Je sais pas.

— Un chien ?

— Non...

— Mais quoi alors ?

— Je sais pas.

— Taisez-vous !

Un deuxième cri a vrillé l'air, plus effroyable et plus puissant encore que le précédent – et provoquant un effet exactement inverse : non plus une sidération, mais une agitation sans bornes. Cette fois sous la tente, tout s'est mis à bouger : les faisceaux de lampes, les silhouettes, la toile elle-même, secouée en tous sens jusqu'à faire pencher les piquets et menacer le tout d'effondrement. Enfin quelqu'un s'est résolu à sortir, torche en avant, fouillant les sous-bois d'un faisceau nerveux. Édouard, sans doute, le plus âgé, le plus costaud, suivi de ses compagnons sur ses talons. Quant à nous, nous nous sommes rapetissés sous nos ronces, ravis de ce remue-ménage, fous de joie d'entendre des interjections nerveuses, des voix haletantes, autant de signes d'une panique mal contenue.

Leur brève recherche n'ayant rien donné, ils ont assez vite battu en retraite. De loin et l'ombre aidant, on aurait dit un gros animal à plusieurs têtes repliant ses membres pour se réfugier à reculons dans sa tanière. La torpeur était telle dans cette forêt du bout du monde que, pour un peu, on aurait entendu glisser la fermeture Éclair de l'entrée. Puis de nouveau le silence s'est installé, en même temps que les campeurs rencognés dans la tente. Quelqu'un a allumé une cigarette, Caroline, peut-être – je l'imaginais recrachant la fumée sur le côté, avec cette posture si particulière qu'adoptaient les actrices de l'époque : l'avant-bras vertical, la Marlboro pincée en ciseaux entre l'index et le majeur, le mouvement du poignet un peu cassé vers l'arrière. Le temps est resté ainsi suspendu de longues minutes, fumée statique, envahissante, impossible à dissiper. De quoi laisser à penser que, peut-être, le monstre de la nuit s'était éloigné. À voix basse et tremblante, les commentaires ont repris :

— Il est parti, on dirait.

— Tu crois ?

— Pas sûr. Y a encore des bruits.

— Écoute.

— Y a rien.

— Ça va revenir.

— Il a dû partir, je te dis.

Partir ? C'était mal connaître Oncle Tiff. Pour varier les plaisirs et nous montrer toute l'étendue de ses talents – le but étant bien sûr autant de nous faire rire que de nous faire peur –, ce dernier s'est lancé dans un ultime récital allant des grognements de sanglier aux hululements de chouette en passant par les jappements d'un chien errant, jusqu'à une sorte de barrissement abominable en guise de bouquet final.

Efficacité garantie. Du moins pendant quelques instants. Au bout de quinze secondes, nous avons de nouveau entendu des frottements confus, mais obéissant cette fois à une certaine discipline. Une contre-attaque semblait se préparer. De fait, une ombre est sortie, puis une autre, glissant dans la nuit, en quête de bâtons ou de branches susceptibles de servir d'armes. Tout n'était que reptations, échanges soufflés, consignes furtives.

Ils allaient se ruer sur nous, frapper au hasard, qui sait.

Nous rattraper dans le noir, nous crever un œil, à l'aveugle.

Au mieux, nous hurler dessus, Oncle Tiff ou pas.

En somme, le jeu tournait au vinaigre.

Nous nous sommes donc repliés en (dés)ordre de bataille, fous d'exaltation, fiers de notre aventure, plus que jamais heureux d'être là et pas dans nos lits. Lits que nous avons finalement regagnés après une course effrénée dans les bois, quatre claquements de portière, un départ sur les chapeaux de roues, un grand éclat de rire dans l'habitacle, puis un retour à fixer, yeux mi-clos, le bitume de la route défiler dans les phares. Mission accomplie.

★
★ ★

Le surlendemain, alors que les campeurs étaient revenus tout échevelés de leurs aventures, les questions ont fusé autour des tartines et des bols de Ricoré. On a eu droit à tout – l'abordage en 420 et en canoë, les chouettes effraies, les mulots, les araignées, les bains de minuit, les fourmis dans les sandwichs. À tout, sauf à l'évocation des hurlements nocturnes. Avec Oncle Tiff, qui buvait son café l'air de rien, nous nous apprêtions à ravaler notre déception lorsque enfin mon grand cousin Édouard, éternel meneur, a posé la question fatale :

— Au fait, y a quoi comme gibier, du côté de la vieille écluse ?

— Ragondins, chevreuils, sangliers... a répondu Oncle Tiff de sa voix la plus neutre.

Édouard a eu l'air interloqué.

— Mais des sangliers... normaux ?

« Normaux ». Oncle Tiff s'est planqué derrière son grand bol pour rigoler plus à l'aise. Puis il s'est repris tout juste :

— C'est-à-dire ?

— Je ne sais pas, moi... ce n'est pas une race *spéciale* de sangliers ?

— Bah non... pourquoi tu me demandes ça ?

— Comme ça. Pour rien.

Édouard a regardé ses comparses et j'ai vu dans leurs yeux des interrogations insondables concernant la faune nocturne des environs de la vieille écluse, aux confins du lac de Lacanau. À quoi pouvaient donc ressembler des sangliers qui barrissaient, aboyaient et hululaient tour à tour ? Quant à Oncle Tiff, il s'est juste contenté de se lever et de quitter la salle pour ne pas craquer. Ce n'est qu'une fois dans la cuisine qu'il a poussé son fameux cri, le cri primal, le tout premier, qui s'est terminé dans une cascade de rires. Tout le monde a sursauté. Tout a tremblé. Y compris les cuillères posées sur les pots de confiture. Mais jamais, depuis, nous n'avons oublié la tête d'Édouard et de ses compagnons de bivouac.

Oncle Tiff, évidemment. Ils auraient dû y penser... Les cris, c'était donc lui ! C'était tout lui, même. Du Oncle Tiff pur sucre, partenaire officiel de nos aventures d'enfants, bien décidé à le rester lui-même, enfant, histoire d'échapper au sérieux des autres parents qui ne parlaient que de boulot, de placements financiers, de Giscard, de cholestérol, sans oublier le nouveau modèle de chez Citroën, la CX, une réussite paraît-il, avec une boîte de vitesses transversale et une nouvelle version de suspensions hydropneumatiques. En nous emmenant faire peur aux grands en pleine nuit, à des kilomètres, juste pour jouer, juste pour s'amuser, il nous avait fait le cadeau le plus précieux : un souvenir. Un beau souvenir à garder toute la vie. L'époque s'y prêtait, il y avait dans l'air quelque chose de léger, de bon enfant, d'encore optimiste, qui permettait de conjurer d'autres cris, d'autres hurlements : ceux que nous réservait l'avenir. On feignait alors d'ignorer que la fin des illusions est bien plus terrifiante qu'une bête sauvage dans la nuit.

Et puis c'est arrivé. En 1977, Oncle Tiff a fait son dernier tour de piste lors d'un raid à ski connu pour être d'une férocité physique épouvantable – il a été supprimé depuis. À quarante-huit ans, il était le plus âgé de la compétition, mais en tête. À son arrivée à Courchevel, le comité de course l'attendait en bas des pistes, chrono en main. Débouchant des sapins, il est arrivé en enchaînant majestueusement les virages, glissant sur la pente douce. Soudain, dans les derniers mètres, sans s'arrêter de skier, il s'est cassé en deux, mimant un malaise, sa course venant mourir aux pieds de l'organisateur, qui l'a accueilli dans ses bras en riant, croyant à une blague. Ce n'en était pas une, et encore moins une pantomime. Oncle Tiff venait de mourir pour de vrai, debout sur ses skis, le cœur à bout, brisant le nôtre, nous laissant seuls et désemparés face à la fin brutale de notre enfance.

★
★ ★

Quarante ans ont passé, la maison de Lacanau a été vendue, mais un jour, la tentation a été trop forte : j'ai loué une petite villa au bord du lac, du côté de Longarisse, à un jet de pomme de pin du paradis de mes premières années. Je n'étais pas dupe du côté pèlerinage de mon séjour, mais je n'imaginais pas à quel point il ferait douloureusement écho à l'été de mes dix ans.

Le fait divers faisait la une du journal *Sud Ouest* et toute la région ne parlait que de ça : quatre jeunes campeurs – deux filles, deux garçons – avaient été massacrés à la barre de fer non loin de la route du Porge. Sur la photo aérienne, en pleine page, le lieu du massacre était cerclé de rouge. Nul besoin d'observer longtemps le cliché pour reconnaître, tout près, le tracé du canal menant à Arès, barré de la vieille écluse noyée dans les ajoncs. La coïncidence était presque trop énorme pour être crédible.

Devant l'horreur des faits et l'émoi de l'opinion publique, l'enquête n'avait pas traîné. La police avait mis la main sur un suspect, qui venait d'ailleurs de tout avouer, d'où les gros titres dans la presse. L'homme n'avait plus rien à perdre, car il avait déjà tout perdu : son boulot, sa femme, sa maison, sa dignité. D'après les articles, il s'agissait d'un ancien ouvrier, qui avait connu la spirale classique : chômage technique à la suite d'une délocalisation, puis chômage longue durée, puis RSA, puis précarité. Devenu maître-chien grâce à des aides, il avait vite dévissé avant de finir marginal et alcoolisé au dernier degré. Il squattait une ancienne maison de résinier, un peu taguée et presque entièrement démolie, comme lui. C'était lui, désormais, qui vivait comme un chien.

Entre les lignes des articles, on comprenait que l'homme n'avait pas supporté. Pas supporté l'arrivée de ces quatre petits cons, heureux de vivre et bruyants. Pas supporté leurs motos tout-terrain derniers modèles – putain, mais comment pouvait-on se payer des machines pareilles à cet âge-là ? Pas supporté de voir minauder ces jeunes filles délurées, leurs jeunes corps ruisselants au retour de l'eau, leurs formes insupportables, leur fraîcheur, leur fausse innocence, leurs inlassables poses pour les réseaux sociaux. Pas supporté leurs deux copains bronzés, musclés, triomphants, avec l'avenir devant eux, les vacances devant eux, tout devant eux.

Une nuit il y avait eu le râle ou le soupir de trop sous la grande tente. Sans doute l'homme venu espionner les intrus n'attendait-il que ça. Sans doute, le cœur serré, avait-il contemplé un instant, en ombres chinoises, ce à quoi il n'avait plus droit depuis longtemps.

Alors il avait serré dans sa paume l'arme qu'il avait prise, au cas où, une sorte de barre à mine rapportée d'un chantier, puis s'était approché du bivouac, sans que les autres, bien trop occupés, y prêtent attention. L'entrée de la tente était zippée jusqu'en bas, sûrement à cause des moustiques.

Ensuite, c'était allé très vite. D'un coup de pied rageur il avait fait sauter le piquet, laissant s'affaisser la toile sur les corps, désormais pris au piège et, surtout, pris de panique.

Dans les cris affolés, les uns s'étaient levés, les autres avaient pleuré, mais tous avaient en vain cherché une ouverture, une issue de secours – la toile de tente remuant en tous sens, prenant ici la forme d'une tête ou se distordant sous un coup de pied, louvoyant de haut en bas comme quand des mômes jouent à se faire peur sous les draps.

Sur cette forme grotesque, fantomatique, agitée de mouvements comme un sac plein de chatons promis à la noyade, l'homme avait frappé, frappé au hasard. De toute sa force d'ancien bûcheron. À savoir les deux mains agrippées sur le manche, histoire de mieux asséner ses coups. Calmement, puissamment. En plein sur les jolis seins ronds, les jolies fesses fermes, les jambes, les côtes, les têtes.

Broyés, les os. Explosés, les crânes. Édentées, les bouches. Éclatés, les yeux. Terminés, les selfies.

« Ça m'a fait l'effet d'une boîte d'œufs qu'on écrase, ça faisait des craquements et des bruits mous », avait dit l'homme aux enquêteurs, témoignage repris en boucle sur les chaînes d'infos et France 3 Aquitaine.

De fait, on imagine bien que ce fatras de membres, de piquets et de toile n'était très vite devenu qu'un ensemble aplati, partiellement enfoncé dans le sable et parsemé de sang. Une omelette organique.

Qui sait, peut-être l'assassin avait-il d'abord hurlé dans la nuit pour faire peur à ses proies et s'amuser un peu – un peu comme Oncle Tiff quarante ans auparavant.

Ou peut-être que non.

Version la plus probable.

Car l'époque ne jouait plus.

Plus du tout.

Karine GIEBEL

L'Ascension

Grande collectionneuse de prix littéraires prestigieux et maître ès thrillers psychologiques, Karine Giebel est la fois reine du polar et reine de la nouvelle. Elle sait condenser en quelques pages la force d'un roman pour nous entraîner dans son sillage. Avec une quinzaine de romans et recueils noirs, elle est aujourd'hui immensément reconnue, à la fois en France et à l'international.

2020

Alors que je viens de m'asseoir, j'ai déjà envie de m'enfuir. Le thérapeute essaie de me mettre à l'aise, m'encourageant d'un sourire, d'un regard, à lui confier ce qui me ronge de l'intérieur.

Ce qui me détruit à petit feu.

Le confier, c'est le vivre de nouveau. Replonger dans ce souvenir, ce cauchemar… Mais de toute manière, il ne me quitte jamais, ne cessant de me broyer le jour comme la nuit.

— C'était il y a deux ans.

Je n'arrive pas à aller plus loin.

— Que s'est-il passé, il y a deux ans ? interroge le psychologue.

— C'est… J'étais parti en vacances avec mon jeune frère Vincent.

Une fois encore, les mots restent bloqués au fond de ma peine.

— Un souvenir douloureux ?

— Douloureux, oui…

2018

Maman a promis que j'allais m'amuser. Que Théo allait bien s'occuper de moi. Pourtant, j'ai l'impression que mon grand frère n'a pas très envie que je sois là. Il aurait préféré rester avec ses potes, je crois.

De toute façon, à part ma mère, personne n'a jamais envie que je sois là.

Parce que je suis encombrant, pas discret.

Je suis fragile.

Et même *X fragile*.

Un jour, il y a longtemps, mes parents m'ont expliqué que j'avais le syndrome de l'X fragile. Une histoire de chromosome et de protéine, difficile à comprendre pour moi.

Ce que je sais, c'est que je ne suis pas comme les autres. Que je ne l'ai jamais été et ne le serai jamais.

Pas tout à fait le même visage, pas du tout la même intelligence.

Je ne suis pas bête, il paraît. Juste un peu en retard, dit maman.

Je comprends à peu près tout, mais il me faut du temps. Je sais parler, mais j'oublie les mots. Des fois, les phrases sortent trop vite de ma bouche et les autres ont du mal à comprendre ce que je dis, comme ils ont du mal à comprendre qui je suis. Parfois aussi, je me répète. Encore et encore. C'est pas ma faute, ça tourne en boucle dans ma tête.

Mon frère Théo, il me taquine en disant que j'ai des bugs plein la cervelle. En plus des bugs, j'ai des lunettes sur le nez et je louche. Il y a aussi mes oreilles qui sont trop grandes, mon front trop large et mon visage trop allongé.

Bref, je suis raté. Comme un gâteau, quand on oublie un ingrédient dans la recette. Ça, c'est moi qui le dis. Et maman, ça la met drôlement en rogne !

Mais au moins, je suis grand et fort, comme l'était papa.

Il est mort l'année dernière. Ou alors, c'était il y a deux ans ? Théo était déjà parti de la maison et avait pris son propre appartement, ça je m'en souviens.

Un soir, donc, mon père n'est pas rentré. Plus tard, le téléphone a sonné et maman a pleuré. Elle a même crié, ce qui ne lui arrive presque jamais. Ensuite, avec les yeux pleins de larmes, elle m'a expliqué que papa ne reviendrait plus parce qu'il avait eu un accident à son travail.

Moi, je n'ai pas pleuré, pas tout de suite.

Parce que je n'ai pas compris, pas vraiment.

Il m'a fallu un peu de temps pour réaliser que je ne le verrais plus. Alors, j'ai fait une crise, une énorme crise. J'ai hurlé, j'ai cassé des tas de trucs dans la maison et je me suis tapé la tête sur le sol, jusqu'à ce que mon sang coule sur le carrelage beige du salon.

Et puis j'ai pleuré, moi aussi. Pendant beaucoup de jours et de nuits.

La semaine dernière, j'ai eu dix-sept ans. Il y a longtemps que je ne vais plus à l'école. Trop difficile. Pendant plusieurs années, je me rendais chaque jour dans un centre spécialisé pour les jeunes comme moi. Aujourd'hui, je continue à suivre les séances chez Valérie, l'orthophoniste, et Michel, le psychomotricien.

Eux, ils savent comment m'aider.

Maman dit que je suis intelligent. Que je comprends beaucoup de choses. Elle dit aussi que je suis très sensible.

Elle dit plein de compliments sur moi.

Et pourtant, des fois, lorsqu'elle me regarde, j'ai l'impression qu'elle me regrette. Qu'elle souffre quand ses yeux se posent sur moi. Alors, dans ces moments-là, je la serre dans mes bras jusqu'à l'étouffer et je lui dis que ce n'est pas si grave. Que je suis comme je suis et qu'on arrivera à faire avec.

Hier, elle m'a fait la surprise : je vais partir une semaine avec mon frère et ses amis. Elle m'a dit que ce serait comme des vacances mais en plus court. Quand je lui ai demandé pourquoi elle ne venait pas avec nous, elle m'a répondu qu'elle était obligée d'entrer dans une clinique mais que c'était pour une opération de rien du tout. Qu'elle y resterait quarante-huit heures à peine, et qu'ensuite elle aurait besoin de se reposer jusqu'à la fin de la semaine et ne pourrait pas s'occuper de moi. Avec Théo, sa petite amie Jessica et un de leurs copains, on va donc passer quelques jours dans la maison de ma grand-mère. J'ai l'habitude d'aller là-bas depuis que je suis tout petit. C'est une grande bâtisse en pierre avec des volets rouges et un immense jardin. Pas loin, il y a la forêt où j'aime me balader. Je n'ai pas le droit d'y aller seul, bien sûr.

Mamie est morte mais la maison est toujours vivante. Comme quoi les pierres, elles sont plus solides que nous.

Quand Théo est passé me chercher ce matin, mon sac était prêt et je ne tenais plus en place. Maman a dit mille choses à mon frère, lui a donné plein de recommandations. Ne pas me laisser trop au soleil si je n'ai pas ma casquette, ne pas me faire boire d'alcool ni de café. Me surveiller tout le temps, ne pas me faire écouter de la musique trop fort ou regarder un film violent. Me donner mes médicaments si jamais je m'énerve.

Ça m'arrive d'être en colère.

Des colères terribles.

Dans ces moments-là, tout le monde a peur de moi, même papa quand il était encore là. Il n'y a que maman qui arrive à me calmer.

Théo a juré que tout allait bien se passer, qu'il avait l'habitude de me *gérer*, qu'il n'y aurait aucun problème. Il a dit qu'on allait prendre l'air dans les Cévennes, qu'on y passerait un moment sympa tous ensemble et que ça me ferait le plus grand bien.

Maman m'a embrassé avant que je monte à l'arrière de la voiture. Driss s'est assis devant et Théo a pris le volant. Dès qu'on s'est éloignés de la maison, mon frère a appelé Jessica qui nous attend là-bas et elle a râlé en disant que j'allais leur gâcher les vacances. Théo a répondu qu'il n'avait pas eu le choix, qu'il était obligé de m'emmener parce que maman n'avait pas d'autre solution et que, de toute façon, ma présence ne les empêcherait pas de faire la *teuf*.

Le trajet va durer environ deux heures. Dans la voiture, Driss et Théo discutent entre eux comme si je n'étais pas là. Comme si je n'existais pas. Ils parlent de gens que je n'ai jamais vus et de trucs que je ne connais pas. Je répète souvent ce que j'entends, je ne peux pas m'en empêcher.

— Shit !

— T'en veux ? rigole Driss.

— T'en veux ! je répète.

Dans le rétroviseur, Théo m'adresse un grand sourire.

— Alors, Vincent, prêt à t'éclater ?

— Prêt à t'éclater ? Ouais !

Je tape des mains, ça les fait rire et je rigole à mon tour. Je suis content, simplement. Je l'aime, mon frangin, et je sais qu'il m'aime aussi, même s'il aurait préféré partir sans moi. Enfin, c'est surtout Jessica qui aurait préféré que je ne sois pas là. Ça fait un an qu'ils sont ensemble et je ne me sens pas très bien avec elle. Elle est jolie, très jolie même, avec ses longs cheveux blonds et ses grands yeux bleus. Jolie, mais pas vraiment gentille. Elle me regarde bizarrement, comme si je lui faisais peur ou quelque chose comme ça. Elle habite à Alès, pas loin de la maison de ma grand-mère. C'est comme ça qu'elle a rencontré Théo. Et des fois, je me dis qu'il aurait mieux fait de ne jamais la croiser…

*
* *

Vincent quitte discrètement sa chambre et traverse la salle à manger avant de sortir dans le jardin. Vers midi, ils ont retrouvé Jessica dans un restaurant du centre-ville d'Alès. Ils ont déjeuné puis ont repris la voiture pour rejoindre la maison familiale.

Vincent s'est installé dans sa chambre, celle du rez-de-chaussée, tandis que Driss, Théo et Jessica investissaient le premier étage.

Depuis qu'ils sont arrivés, ils dorment. Une sieste qui n'en finit pas. Vincent, lui, n'a pas sommeil. Et même si son frère lui a ordonné de rester dans sa chambre, avec ses Lego et ses crayons de couleur, il a des fourmis dans les jambes. Une fois dehors, il ramasse un vieux morceau de bois et parcourt le jardin presque rendu à l'état sauvage. À l'aide de son bâton, il frappe les herbes hautes qui ont poussé après le dernier orage et longe le vieux grillage en partie rouillé. Il a très envie de le franchir pour aller se promener dans la forêt ou simplement rendre visite aux chevaux qui paissent tranquillement dans les champs alentour. Il scrute les fenêtres ouvertes du premier étage, n'entend aucun bruit et, n'y tenant plus, il pousse le portail en fer et s'élance sur la route étroite. Vingt kilomètres plus bas, cette bande d'asphalte en mauvais état rejoint la nationale qui mène à Alès. Toujours armé de son morceau de bois, il marche sur le bord de la chaussée, sous le soleil de mai, un nuage dans la tête et un vent frais dans les cheveux. Très vite, il arrive près du centre équestre et s'approche d'une prairie où sont parqués un lipizzan, un mustang et deux frisons. Subjugué, Vincent les admire de longues minutes. Il adore les chevaux et, d'ailleurs, il aime tous les animaux.

Tandis que les hommes se moquent de lui, les animaux se moquent de son apparence, de ses différences et de ses petites manies.

Vincent planque son bâton et appelle les chevaux. D'un pas lent, l'un d'eux consent à s'approcher de la route. Arrivé près de la clôture, il s'immobilise pour observer l'intrus qui tend la main vers lui. Vincent continue de l'appeler, brûlant de pouvoir le toucher. Il tente de maîtriser son intonation pour ne pas effrayer le magnifique animal.

— Allez, viens plus près, n'aie pas peur !

Le jeune homme se baisse pour arracher à la terre meuble une poignée d'herbe grasse et la brandit par-dessus le fil électrifié. Alors, enfin, l'équidé franchit les derniers mètres qui les séparaient encore. Vincent parvient à effleurer les naseaux de la bête et à lui caresser l'encolure. Paupières closes, sourire d'enfant, sa respiration s'apaise. Très vite, les deux frisons rejoignent le lipizzan et Vincent ne sait plus où donner de la tête. Seul le mustang demeure à distance, jetant des regards curieux à ce colosse aux gestes maladroits.

Soudain, un bruit de moteur vient briser leur complicité et la voiture de Théo freine brutalement près du champ. Il sort de la 208, tandis que Jessica reste sur son siège.

— Putain, t'es là ! vocifère-t-il. Merde, Vincent, je t'ai cherché partout !

Théo empoigne son frère par le bras et l'entraîne vers la voiture. Vincent se met à crier et les chevaux s'éloignent, effrayés.

— Tu leur fais peur ! s'écrie le jeune homme. Faut pas leur faire peur !

— C'est toi qui m'as fait peur, couillon ! réplique Théo. Allez, monte dans cette bagnole.

Vincent obéit et s'installe sur la banquette arrière.
Par la vitre ouverte, il regarde les chevaux, partis à
l'autre bout de leur enclos.

— Couillon !

— Quoi ? rétorque Théo.

— Couillon ! hurle Vincent.

— C'est bon, arrête ton cinéma, Vince, OK ?

— Cinéma… Cinéma…

— Quand je te dis de rester dans ta chambre, tu
restes dans ta chambre, d'accord ?

Jessica jette un regard mauvais à Vincent qui lui
répond par une grimace cocasse.

— Tu comptes nous faire chier constamment ?
balance-t-elle.

— Faire chier, oui !

— Putain, quel boulet ! soupire la jeune femme.

— C'est mon frère, rappelle Théo d'un air
embarrassé.

— Merci, je suis au courant, grogne Jessica. Et il
va falloir supporter ce gros débile toute la semaine !

Théo se renfrogne et reste silencieux. La voiture
entre dans la propriété et se gare devant la maison.
Sur la terrasse, Driss sirote une bière et il sourit
lorsqu'il voit Vincent bondir hors de la 208.

— T'étais où ? demande-t-il.

— Je suis allé donner à manger aux chevaux. Ils
étaient contents de me voir, *eux* ! ajoute Vincent en
pointant du doigt la copine de son frère.

Elle le considère de nouveau méchamment et le
jeune homme baisse la tête, incapable de la fixer
dans les yeux.

Incapable, depuis toujours, de fixer qui que ce
soit dans les yeux.

*
* *

Allongé à côté d'elle, je regarde sa peau blanche, ses cheveux fins, le galbe de ses jambes, la rondeur de son épaule. Jessica s'est rendormie dans la chaleur de nos draps et mes yeux ne la quittent pas. Je devrais être heureux de la retrouver après quinze jours de séparation. Après le moment de plaisir que nous venons de partager. Mais quelque chose, quelque chose au fond de moi, m'empêche d'être heureux.

Quand je ne suis pas près d'elle, je ne cesse de penser à Jessica. Comme si mon corps ne pouvait se passer d'elle, comme si j'étais en manque d'elle. Et lorsque je la rejoins, lorsque mon désir est rassasié, je traverse d'étranges sentiments. Angoisse, culpabilité, colère. Un mélange de tout ça.

Oui, elle est comme une drogue dont je suis incapable de me sevrer. Une addiction qui m'effraie et m'enchaîne chaque jour un peu plus.

Une drogue, loin d'être inoffensive, et dont je ne mesure pas encore tous les effets secondaires. Je sens seulement que mon sang s'empoisonne lentement, que mon cœur se gonfle de jalousie, que mon rire devient sarcasme et ma force devient faiblesse puis rage.

Je change à son contact.

Et je n'aime pas ce que je suis en train de devenir.

Avant, je n'aurais jamais laissé quiconque traiter mon petit frère de *boulet* ou de *débile*. Mais de

Jessica, je supporte tout. J'encaisse les coups qu'elle me donne pour les rendre à d'autres.

Je me lève et marche jusqu'à la fenêtre. En bas, sur la terrasse, Vincent s'amuse avec le portable que Driss a bien voulu lui prêter. Mon pote est assis à deux mètres de mon frère et se charge de le surveiller à ma place.

Je retourne me blottir contre la femme que je crois aimer et la réveille doucement.

Encore une dose, un fix, un peu de poison dans mes veines brûlantes...

★
★ ★

Ça fait trois jours qu'on est là et ça fait trois jours que Théo et Jessica passent beaucoup de temps dans leur chambre. Même si je suis un *gros débile*, je sais très bien ce qu'ils y font ! Heureusement, il y a Driss qui me tient compagnie. Ce matin, avec mon frère, on a appelé maman et elle nous a dit que l'opération s'était bien passée, qu'elle était un peu fatiguée mais que tout allait rentrer dans l'ordre. Elle m'a demandé si je m'amusais bien et je lui ai assuré que oui, pour ne pas lui faire de peine.

Chaque soir, mon frère, sa copine et Driss boivent beaucoup. De la bière, du whisky et du vin. Et puis ils fument.

Hier, pendant le dîner, Théo a bien voulu que je boive de l'alcool, moi aussi. Il m'a même autorisé à fumer un joint. Après ça, je me suis senti tout bizarre et je répétais toujours les mêmes mots déformés, les mêmes phrases en boucle. Ça les a bien fait rire.

Ce matin, j'avais l'impression d'avoir une ruche dans le crâne mais mon frangin, il m'a assuré que ce n'était pas grave.

Tout à l'heure, pendant le déjeuner, il m'a annoncé qu'une grande fête se prépare en ville et qu'on allait s'y rendre. Ça commence cet après-midi et ça dure tout le week-end de l'Ascension. Il y aura énormément de gens et, surtout, je vais voir plein de chevaux. Alors, même si la foule m'a toujours effrayé, j'ai hâte...

★

★ ★

Tant de monde, tant de bruit, tant de couleurs.

Tellement d'ivresse et de cris, de rires et de joie.

Chemises blanches, chapeaux et gilets noirs. Dentelles, jupes à volants ou droites.

Talons qui résonnent sur la scène, sabots qui résonnent dans les rues.

Musique à fond, alcool à flots, corps à bout de souffle.

Percussions, cuivres et cordes. Bodegas, bandas et fanfares...

Douleur dans la tête.

Vincent a le vertige, presque le mal de mer. Il s'accroche à son frère comme à une bouée de sauvetage, comme à son dernier espoir.

— Ça va, frérot ? hurle Théo.

— Nan, il y a trop de bruit !

— C'est normal, c'est la fête !

2 heures du matin, ils déambulent dans les rues bondées comme en plein jour. De verre en verre, de bar en bar, ils épuisent la nuit et leurs dernières forces.

— Je voudrais rentrer ! gémit Vincent.

Son frère ne l'entend même pas, alors il se met à hurler :

— Je veux rentrer à la maison !

— Déconne pas, Vince…

— Ouais, arrête de nous faire chier ! s'écrie Jessica.

Vincent se tait et suit le mouvement, comme dans une danse infernale qui ne s'arrête jamais. Après une centaine de mètres à jouer des épaules pour se frayer un chemin dans la foule, il demande :

— Ils sont où, les chevaux ?

— Tu les as vus cet aprèm !

— Mais tu m'as dit qu'il y en aurait tout le temps et partout. Là, je vois que des ivrognes.

— Tu en verras d'autres demain, des canassons ! assure Théo. En attendant, profite, amuse-toi !

Vincent abandonne le combat et essaie de ne pas perdre son frère de vue.

Se perdre, au milieu de tous ces gens grisés par le vin, le désir et le sexe.

Se perdre, dans un cauchemar sans fin.

★
★ ★

Il est 11 heures et mon frère et sa copine roupillent encore. Moi, je n'ai pas réussi à dormir. J'ai l'impression d'avoir reçu des coups de gourdin sur la nuque. Heureusement, Driss m'a préparé du café et j'en ai bu deux tasses. Mais j'ai l'estomac vide et, dans mon crâne, les abeilles ont cédé la place à un essaim de guêpes.

Assis sur la terrasse, je repense à ce que j'ai vu la veille…

Dans l'après-midi, nous avons assisté à une course de chevaux. Théo m'a dit qu'on y allait spécialement pour moi, pour me faire plaisir. J'étais surexcité ! Nous avons trouvé une place sur le Pont Vieux, au-dessus du Gardon, la rivière qui traverse Alès. Il y avait un monde fou sur le pont et les berges. En bas, des rubans rouge et blanc délimitaient le parcours sur lequel les candidats allaient s'affronter. Le long du cours d'eau, mais aussi dans son lit. Quand les cavaliers sont arrivés, j'étais fasciné. Des camarguais, des andalous, un anglo-arabe, un hano-vrien et même un appaloosa. Tous plus beaux les uns que les autres ! Depuis que maman m'a acheté un livre sur les chevaux, je sais les reconnaître au premier coup d'œil.

Les cavaliers se sont élancés sous les acclamations du public. C'est tellement beau, un cheval qui court. Tellement puissant…

Mais comme la nuit, la course s'est transformée en cauchemar. Un magnifique camarguais a trébuché dans l'eau et s'est effondré. Une clameur a soulevé la foule. Son cavalier s'est fait piétiner par l'animal qui galopait juste derrière lui et j'ai hurlé à mon tour. Le cheval blanc s'est relevé et il est remonté sur les berges. Il a glissé, s'est de nouveau écrasé sur le sol meuble. Affolé, il a réussi à se remettre sur ses jambes et a détalé droit devant lui, tandis que son cavalier rampait hors de l'eau sous les cris de joie du public.

— Il va bien, ne t'en fais pas ! a dit mon frère en posant une main sur mon épaule.

— J'espère que le cheval s'est pas blessé !

— Mais non, il galope comme avant, regarde...

Un homme est parvenu à intercepter l'animal, il a eu du mal à le calmer. C'est comme si je pouvais ressentir sa peur, comme si mon cœur battait à l'unisson du sien.

— Les chevaux, j'aime les caresser mais j'aime pas les voir tomber !

— Arrête de pleurnicher ! m'a balancé Jessica. T'es un mec ou une chochotte ?

J'étais blessé, vexé, alors j'ai quitté le pont en courant et c'est Théo qui m'a rattrapé. Il m'a dit des mots gentils et, comme le cheval, j'ai fini par me calmer...

Mon frère et sa vipère descendent enfin du premier étage et s'attablent avec nous sur la terrasse. Théo a une sale gueule mais il me sourit gentiment.

— Ça va, Vince ?

— J'ai mal à la tête...

— T'as pas l'habitude de faire la teuf, hein ? rigole-t-il.

Il embrasse langoureusement Jessica, je tourne la tête vers le jardin. Je préfère voir les arbres que cette fille. Ils boivent du café à leur tour tandis que Driss prépare le déjeuner. Poulet grillé au barbecue et frites surgelées. Pendant le repas, j'ai du mal à les écouter parler. Il y a de drôles de bruits dans ma pauvre cervelle, comme un écho maléfique de ce que j'ai enduré cette nuit.

— C'est une mauvaise idée, dit mon frère.

— Je suis d'accord avec Théo, ajoute Driss.

Je ne sais pas de quoi ils parlent et tente de m'intéresser à leur conversation. Je vois Jessica lever les yeux au ciel.

— Mais si, faut y aller, s'écrie-t-elle. Je veux y aller !

— Je ne crois pas que ce soit une bonne idée, répète Théo en secouant la tête.

— Vous êtes lourds ! souffle-t-elle en croisant les bras devant elle. Tout ça à cause de lui ! ajoute-t-elle en me dévisageant.

Je me demande ce que j'ai encore pu faire de travers pour mériter un regard aussi noir.

— On ne va quand même pas passer un week-end de merde parce qu'il est là ? balance-t-elle.

Je regarde mes chaussures et puis les arbres. Je regarde les feuilles mortes et les herbes folles.

— Tu m'avais promis, rappelle Jessica en fixant mon frère.

Qu'a-t-il bien pu lui promettre ? Je ne comprends plus rien, je suis complètement largué.

— Si c'est ça, je me barre tout de suite, siffle la vipère. Je prends mes affaires et je me tire.

— C'est bon, calme-toi, capitule Théo. On va y aller.

— Je vais préparer mon sac, dit soudain Driss en se levant.

— Où tu vas ? je demande.

— À la gare, je rentre chez moi.

— Tu ne peux pas rester ?

— Non, Vincent. Je dois y aller. Je t'avais prévenu que je ne serais là qu'au début de la semaine et que je ne pourrais pas être avec vous ce week-end, non ?

Sans doute me l'avait-il dit.

Sans doute ai-je préféré l'oublier…

*
* *

Je sais que j'ai pris la mauvaise décision. Mais rien que l'idée que Jessica puisse partir, s'éloigner de moi pour peut-être ne jamais revenir, m'a été insupportable. Alors, j'ai cédé. Face à mon trouble, Jessica me rassure en me disant que tout se passera bien. Puis elle me glisse à l'oreille que ma mère a sûrement trop protégé mon frère, qu'il a eu droit à plus d'amour, plus d'attentions que moi. Je lui réponds que c'est normal parce que Vincent est fragile.

— Tu avais quel âge quand il est né ? me demande-t-elle.

— Quatre ans.

— Moi, j'en avais six quand ma sœur est arrivée. Et je me souviens que tout a changé à partir de ce jour-là… Elle était malade, dès sa naissance.

C'est la première fois que Jessica évoque sa sœur. J'ignorais qu'elle en avait une.

— Pourquoi tu ne m'as jamais parlé d'elle ?

— Elle est morte il y a trois ans, répond-elle simplement. Je viens de te le dire, elle était malade. Un truc génétique rare… Une maladie orpheline. Et alors que je n'étais encore qu'une petite fille, j'ai dû assumer plein de choses. Mes parents avaient moins de temps pour moi, j'ai eu l'impression d'être... abandonnée.

Ses paroles résonnent drôlement en moi.

Abandonné.

Oublié.

— Quand on a une sœur ou un frère malade, on est sacrifié, assène-t-elle. Je devais veiller sur elle dès que mes parents ne pouvaient pas le faire, même si ça foutait en l'air tous mes projets, toutes mes envies... Ma vie, notre vie, tournait autour d'elle. On était comme des satellites, et elle le centre du monde... Tu as connu ça, non ?

J'avoue que oui. Et je me souviens de tous ces moments où j'ai dû renoncer à mes amis, à mes loisirs ou à toute autre chose, parce qu'il fallait que je m'occupe de Vincent.

— Je l'aimais beaucoup, ma sœur, poursuit Jessica. Mais parfois... Parfois, j'avais l'impression qu'elle profitait de cette situation. Elle savait qu'elle pouvait faire tout ce qu'elle voulait, qu'elle ne se ferait jamais engueuler ! À la moindre connerie, c'était moi qui prenais. Oui, je crois qu'elle profitait de la situation. Et je crois que Vincent, il en profite aussi...

— Non ! C'est différent, dis-je. Vincent, il n'est pas malade.

— Ah bon ?

— Enfin, si, mais... Il n'a pas conscience de certaines choses, tu sais. Il n'est pas comme nous...

Je m'embrouille dans de pitoyables explications.

— Il faut penser à toi, murmure Jessica. On est ensemble alors oublie un peu ton frangin...

*
* *

Sur le quai, Driss embrasse ses amis. Vincent lui adresse de grands signes tandis que le train démarre.

— Au revoir ! Au revoir ! Au revoir !

— Il ne peut plus t'entendre, soupire Jessica. Allez, on bouge !

Le trio repart vers le centre-ville où la foule est encore plus compacte que la veille. Ils s'arrêtent dans une bodega, Théo et Jessica commandent une boisson alcoolisée tandis que Vincent boit un soda.

Une fanfare passe près d'eux, le jeune homme se met à taper dans ses mains.

— Tout le monde nous regarde, souffle Jessica.

— Et alors ? rétorque Théo. Qu'est-ce que t'en as à foutre, des autres ? Laisse-le s'amuser...

Elle s'écarte de lui et croise les bras. Vincent continue à frapper ses paumes l'une contre l'autre, de plus en plus fort.

— En plus, il le fait exprès ! fulmine la jeune femme.

— Exprès ! s'égosille Vincent.

Excédée, Jessica quitte la table. Théo se lance à sa poursuite.

— Allez, reste cool ! prie-t-il. C'est pas grave, non ?

— De quoi on a l'air, hein ?

— On a l'air de *gros débiles* ! se marre Vincent.

Son frère négocie de longues minutes et, finale-ment, Jessica revient s'asseoir à table.

— Excuse-toi, Vincent, ordonne Théo.

— Pourquoi je dois m'excuser ?

— Laisse tomber, grogne Jessica. Tu perds ton temps !

Ils restent là près d'une heure et les verres s'enchaînent.

— J'ai réfléchi, dit soudain Théo à son amie. Je ne veux pas qu'il nous accompagne.

— Putain, on ne va pas encore revenir là-dessus ! s'exclame Jessica.

— Je ne veux pas que Vincent vienne. Point barre.

— Où ça ? demande son cadet.

— Avec Jessie, on va voir un spectacle, mais ça ne te plaira pas.

— Je veux venir, moi !

— Vaut mieux pas, je t'assure. Tu vas détester… Alors je vais te ramener à la maison et on se retrouve tout à l'heure, d'accord ? En nous attendant, tu pourrais…

— Non ! braille Vincent. Je veux rester avec toi !

Il frappe du poing sur la table, Jessica a un mouvement de recul. Mal à l'aise, Théo perd patience :

— Calme-toi, bordel ! C'est moi qui commande, pas toi ! Alors tu fais ce que je te dis.

— Non ! hurle son jeune frère. Si je rentre à la maison, tu restes avec moi ! Maman, elle a dit que tu ne devais pas me laisser seul.

Théo hésite et Jessica le fixe longuement avant de s'adresser à lui :

— Tu n'as pas l'intention de te débiner, j'espère ? Tu avais promis, tu te souviens ?

— Non, assure Théo. Je le raccompagne jusqu'à la maison et je te retrouve aux arènes... Je serai là à temps, ne t'en fais pas.

Il se lève et attrape son frère par le bras.

— Allez viens. On y va.

— Non.

— Écoute, Vince, je te propose un marché : si tu m'obéis, demain on ira où tu veux, on fera ce que tu veux, d'accord ? On pourra même faire une balade à cheval si tu en as envie.

Vincent réfléchit, son front se plisse.

— C'est sûr ? On fera du cheval demain ?

— Si tu en as envie.

— Je pourrai avoir le mustang ?

— Tu auras tout ce que tu veux, c'est promis.

*
* *

Une heure plus tard, Théo pénètre dans les arènes du Tempéras et retrouve Jessica sur les gradins.

— C'est bon, il est calmé ? demande-t-elle.

— Pas vraiment, marmonne-t-il. Je lui ai donné ses médocs, j'espère que ça va aller. Je l'ai installé dans notre chambre au premier et j'ai fermé à clef.

Le jeune homme est pâle, visiblement anxieux.

— Fais pas cette tête ! dit Jessica en l'embrassant. Dans trois heures, on rentre, et il ne va pas s'envoler...

Théo jette un coup d'œil circulaire ; les bancs sont pleins à craquer et les spectateurs ont l'air d'attendre le Messie. Même s'il n'est pas fier d'avoir confiné son frère dans une chambre, il sait qu'il a eu raison de ne pas l'emmener dans cet endroit. Lui-même ne sait pas vraiment ce qui l'attend. Il ne s'est jamais intéressé au sujet, a seulement aperçu quelques images à la télévision.

Trois rangées plus bas, deux enfants, six ou sept ans, surfent sur leur portable.

— Les gosses ont le droit de venir ? s'étonne Théo.

— Ben oui ! Pourquoi ils n'auraient pas le droit ? En plus, pour eux, c'est gratuit !

Une fanfare et des chœurs précèdent l'entrée des hommes dans l'arène. Le public les acclame, comme des héros, des dieux païens. Vestes courtes, pleines de chichis d'or ou d'argent, pantalons moulants sur lesquels remontent des bas roses. Ballerines avec petits nœuds sur le dessus, toque noire sur la tête. Théo songe à des clowns prétentieux et ces silhouettes lui rappellent les poupées que sa grand-mère collectionnait dans la grande vitrine du salon.

— C'est quoi, ce déguisement à la con ? marmonne-t-il.

Jessica le regarde de travers puis hausse les épaules. Derrière les matadors, des cavaliers armés de longues lances qui se terminent par une sorte de harpon métallique. Leurs chevaux ont les yeux bandés et sont recouverts d'un épais manteau qui ressemble à une carapace. Un attelage de mules ferme la marche.

— Ça a l'air chiant, soupire Théo.

— Ça n'a même pas commencé ! Tu vas voir, c'est un truc de dingue…

— Je ne suis pas sûr que je vais aimer.

— Mais si ! Tu ne peux pas venir ici et passer à côté de ça… Quand tu sors de là, t'es plus le même.

Depuis le temps qu'elle lui en parle… Spectacle grandiose, frissons garantis, émotions fortes.

— Je suis contente que tu sois là, murmure Jessica en lui prenant la main.

★
★ ★

Assis au bord du lit, Vincent se balance d'avant en arrière. Il plie son pouce jusqu'à ce qu'il touche son poignet. Plus jeune, il s'est aperçu qu'il était le seul à pouvoir faire ça. Tordre ses doigts dans le mauvais sens. Ses parents lui ont expliqué qu'il souffrait d'hyperlaxité ligamentaire. Un nom à coucher dehors, un autre coup bas de sa maladie.

— Théo, il aime pas quand je fais ça… Il fait toujours la grimace quand je fais ça !

Théo, qui vient de l'abandonner dans cette chambre pour aller retrouver sa dulcinée.

Théo, qui l'a séquestré dans cette pièce. Qui s'est débarrassé de lui comme on se débarrasse d'un objet encombrant.

— Il a dit qu'on irait faire du cheval, demain !

Mais si Théo a été capable de l'enfermer, il est tout aussi capable de lui avoir menti.

— Menteur ! s'écrie soudain le jeune homme. Menteur, menteur !

Vincent secoue la tête pour évacuer de son esprit cette odieuse certitude.

— Non, Théo il est gentil.

C'est ce poison de Jessica qui a dû le pousser à faire ça. Elle voulait les séparer. Peut-être pour toujours. De seconde en seconde, Vincent se persuade que son frère et lui courent un grave danger.

— Elle nous veut du mal... Elle nous veut du mal ! hurle-t-il.

Il porte un doigt à sa bouche, le mord violemment. Jusqu'au sang...

★

★ ★

Du sang. Des litres de sang.

Après la corrida à pied, il y a eu celle à cheval, la corrida de *rejón*.

Théo a l'impression qu'il va vomir ses tripes sur les gradins. Comme ce cheval qui vient de perdre ses entrailles sur le sable de l'arène dans l'indifférence générale.

Mais le pire, ce n'est peut-être pas cette mascarade, cette parodie de courage pour ceux qui en manquent.

Le pire, ce n'est peut-être pas cette boucherie offerte en spectacle.

Non. Le pire, c'est le visage de tous ces gens, leurs sourires, leurs acclamations.

Le pire, c'est ce qu'on devine au fond de leurs yeux.

★

★ ★

Après plusieurs coups de pied, la porte cède. Vincent dévale l'escalier, tourne le verrou et traverse le jardin en courant. Très vite, il est sur la route. Le voilà parti en direction de la nationale, de la ville.

Retrouver Théo. Le serrer contre lui.

Comme dans un film qu'il a vu récemment avec sa mère, il fait du stop le long de la départementale en espérant qu'une voiture acceptera de s'arrêter…

★

★ ★

Soudain, Théo se lève, attrape sa veste posée sur le gradin.

— Où tu vas ? s'étonne Jessica.

— Je me casse, j'en ai assez vu.

— Arrête, déconne pas !

Elle le saisit par le bras, il se dégage d'un geste vif.

— Comment tu peux aimer ça ? crache-t-il.

— Mais…

— Je vais retrouver mon frère.

— Allez, reste avec moi.

— Dire que je l'ai abandonné pour assister à cette… Putain, j'ai pas les mots !

Elle lui prend encore le bras, il la repousse brutalement.

— Lâche-moi. Ça me donne envie de gerber. *Tu* me donnes envie de gerber.

Proche de l'asphyxie, le jeune homme se dirige vers la sortie. S'éloigner, le plus vite possible. Il accélère encore, un goût de sang et de pourriture dans la bouche.

*
* *

Au bout de cinq minutes, une voiture s'arrête. J'ai de la chance, c'est une BMW. Une BMW rouge sang. Une voiture de sport qui m'amènera jusqu'à Théo à la vitesse de l'éclair.

À l'intérieur, ils sont déjà trois. Deux garçons et une fille. Je leur dis que je vais à Alès et le passager m'invite à monter. Je m'assois sur la banquette arrière, tout près d'une jolie brune qui tient une canette de bière à la main.

— Tu vas à la feria ? me demande-t-elle.

— C'est quoi, la feria ?

Ils se mettent à rire.

— Je veux retrouver Théo.

— C'est qui, Théo ? Ton mec ? rigole le conducteur.

— Non, c'est mon frère.

La voiture roule vite et pas vraiment droit. Notre chauffeur prend une bouteille en plastique et boit à même le goulot un liquide jaune. Je me dis que c'est peut-être du sirop.

Peut-être pas.

— Et il est où, ton frère ?

— Avec sa copine. Mais elle ne veut pas de moi. Elle dit que je suis un gros débile.

— Tu m'étonnes !

Ils sont hilares, la voiture zigzague sur la route.

— Comment tu t'appelles ? demande le passager.

— Je m'appelle Vincent. Vincent, Vincent...

— C'est bon, on a compris !

Ils ne cessent de rire, le conducteur continue de boire. Puis il allume une cigarette.

— On va à Alès, hein ?

— Ouais, t'inquiète, c'est là qu'on va ! me dit la brune. On va faire la teuf !

— Il faut que je retrouve mon frère… Demain, on fait du cheval !

La jolie brune glousse de nouveau.

— Demain, on fait du cheval… Lui et moi.

Le conducteur monte le son dans l'habitacle et j'ai l'impression que mes tympans vont exploser. Alors, je me bouche les oreilles et je ferme les yeux.

Ne t'en fais pas, Théo, la vipère n'arrivera pas à nous séparer. Il n'y a rien qui peut nous séparer…

★
★ ★

Théo roule vite. Quelques larmes brouillent ses yeux, ses mains tremblent. Colère, dégoût, et plus encore.

Ne jamais la revoir. Ne jamais revoir cette lueur indécente dans son regard.

Oublier qu'il la désire, oublier son parfum et la douceur de sa peau.

Oublier tout ce sang, cette ignominie, cette honte.

Oublier qu'il vient de ramper dans les égouts de l'humanité et d'y boire la tasse.

Oublier cette journée, ces maudites vacances.

La voiture s'élance sur la nationale et Théo accélère.

S'éloigner, encore et encore.

Comme on s'éloigne d'une fosse à purin dont on ne supporte plus l'odeur…

★

★ ★

Vincent a les poings serrés, le visage blême et la nausée. Les passagers de la BMW chantent à tue-tête, lui martyrisant les oreilles. Il se demande comment il va faire pour retrouver Théo au milieu de la foule, et l'angoisse monte de plus en plus. Il se souvient alors d'un mot prononcé par son frère quand ils ont quitté la bodega.

— Il faut aller aux arènes ! hurle-t-il soudain. C'est là qu'il est, mon frère !

— Il est à la corrida ? lance la petite brune avec dégoût.

— C'est quoi, la corrida ?

— T'es grave, toi ! rigole le conducteur. Tu sais pas ce que c'est une corrida ?

— Non, je ne sais pas.

— Tu veux que je t'explique ? propose la passagère avec un sourire féroce.

— Oui, acquiesce Vincent. C'est gentil, merci.

— Alors, la corrida, c'est un truc dégueu où des mecs torturent un taureau jusqu'à ce qu'il en crève ! résume la brune. Ils lui plantent d'abord des lances dans le dos, comme ça !

Avec de grands gestes, elle mime le picador.

— Ensuite, c'est les banderilles, juste là, précise-t-elle en lui posant un doigt en haut du dos. C'est pour que le taureau il ait du mal à relever la tête.

114

Sinon, il les enverrait au cimetière en deux secondes, tous ces bouffons !

— Bouffons ! répète Vincent machinalement.

— Et puis le matador, il s'amuse à faire courir le taureau dans tous les sens et, à la fin, il lui enfonce une épée dans le cœur.

Les yeux de Vincent s'arrondissent de stupeur.

— Mais pourquoi il fait ça ? demande-t-il.

— Ben sûrement pour faire croire qu'il a des couilles ! affirme la jeune fille. Et aussi pour empocher son fric… Attends, c'est pas fini : en général, ce taré rate le cœur et transperce les poumons. Du coup, ça ne suffit pas à achever le taureau. Alors il lui plante un couteau dans la tronche plusieurs fois.

Vincent a la bouche grande ouverte, un air terrifié sur le visage.

— Arrête ! ricane le passager de devant. Tu vas le traumatiser, ce pauvre garçon !

— Mais le couteau aussi, ça ne marche pas à tous les coups ! poursuit malgré tout la jeune fille. Souvent, le taureau ne bouge plus parce qu'il est paralysé, mais il est toujours vivant.

— J'ai mal au cœur ! gémit Vincent.

— Et ça n'empêche pas ce bâtard de matador de lui couper quand même les oreilles. Et autour de l'arène, il y a un tout un tas de débiles qui regardent ça et qui beuglent de joie comme des malades… Voilà mon pote, c'est ça la corrida, conclut la petite brune.

— Olé ! braille le conducteur. Moi, j'aime bien !

— Pas moi, envoie sa copine.

— Ouais, ça, on avait compris ! se marre le passager.

— Mon frère, il ne serait jamais allé voir un truc aussi moche, affirme soudain Vincent en secouant la tête. Non, ça jamais…

— Ben s'il est aux arènes, c'est qu'il est allé voir une corrida.

— Non, s'entête Vincent. Mon frère, il est pas comme ça…

*
* *

Théo arrive enfin à l'intersection avec la départementale et continue de foncer en direction de la maison familiale. La 208 évite les nids-de-poule et avale les virages les uns après les autres. Le jeune homme a les mains serrées sur le volant, le front en sueur.

La pluie s'invite dans cette course contre la montre, les essuie-glaces se déclenchent.

— Tiens le coup, frérot, j'arrive…

Soudain, au détour d'un virage, il se retrouve face à une voiture qui roule sur la voie de gauche. Il pousse un cri, donne un coup de volant brutal mais le choc est inévitable. La 208 part en tête-à-queue et Théo voit l'autre véhicule faire plusieurs tonneaux. Puis il est propulsé vers la droite, sort de la route, impuissant. La 208 fracasse une clôture et finit dans un champ.

Tout est allé si vite.

Quelques secondes à peine.

Sonné, Théo met un instant à reprendre ses esprits. Il est étonné d'être encore en vie et touche son visage. Puis il pousse la portière et s'effondre dans l'herbe. En relevant la tête, il aperçoit l'autre véhicule cent mètres plus loin. Il se relève, essaie de tenir sur ses jambes incertaines et revient enfin sur l'asphalte mouillé.

— Putain de merde...

Après plusieurs tonneaux, la voiture rouge s'est enroulée autour d'un arbre. Elle ressemble désormais à un amas de ferraille. Elle n'a plus de portières sur toute la partie gauche, son capot est plié, son coffre ouvert et son toit enfoncé. Théo appelle les secours, hurle dans le téléphone, puis se met à courir en direction de l'épave.

Un premier corps gît sur la chaussée. Vision d'horreur.

Théo s'arrête net, il plaque une main devant sa bouche. Une toute jeune fille, presque une adolescente, est couchée sur le goudron. Il lui manque une partie du crâne et son tibia a perforé sa jambe.

Théo se met à trembler de la tête aux pieds et s'approche lentement de la BMW. Sur le capot, un corps inanimé, celui d'un jeune homme. Sur le siège passager, une forme humaine qui n'a plus de visage.

Non loin de la voiture, un autre passager est allongé sur le bas-côté dans une étrange position. Quand Théo s'en approche, son cœur fait une chute vertigineuse.

— Non, c'est pas...

Il se précipite vers lui et tombe à genoux.

— Vincent ! hurle-t-il.

Son frère a le visage en sang et un morceau de ferraille est profondément enfoncé dans son abdomen.

— Vincent !

Théo enlève son blouson et le place sous la nuque de son frère qui ouvre alors les yeux.

— Théo ?

— Les secours arrivent, ça va aller, Vince !

— Je… Je voulais venir…

— Ne parle pas ! implore Théo. Ne parle pas.

— Je te cherchais.

— Moi aussi, mon frère. Moi aussi, je venais te chercher !

Le sang a imbibé tout son tee-shirt et Vincent essaie d'arracher le morceau de fer qui a perforé ses entrailles. Théo l'en empêche, prenant sa main dans la sienne.

— C'est quoi… ce truc ? Ça fait mal.

— C'est rien, ça va aller, répète Théo en s'efforçant de sourire. Tu es costaud, non ?

— Pourquoi tu pleures ? Tu es fâché parce que… je suis parti… de la maison ?

— Mais non !

— Tu vas m'engueuler ?

— Non, Vince, non. Je suis désolé, tu sais… Je suis désolé de t'avoir laissé.

Théo sent que la poigne de son frère s'affaiblit. Son visage est d'une pâleur extrême, ses lèvres sont bleues, ses yeux mi-clos. Comme dans l'arène, comme une malédiction, le sang continue de couler. Théo en a plein les mains.

— C'est demain qu'on… fait du cheval ?

— Oui, demain ! sanglote Théo.

Une quinte de toux secoue Vincent, il crache une bonne quantité de salive rouge et suffoque. Il reprend sa respiration avec un bruit effrayant.

— Vincent ?

— Demain, on... on fait du cheval, sourit le jeune homme. Je... peux avoir... le mustang ?

— Oui, mon frère.

— Mais... avant, je vais... dormir un peu... tu veux bien ?

— Non, Vincent ! supplie Théo. Reste avec moi !

— Avec toi...

Au loin, le bruit des sirènes tranche le silence de mort.

Marie-Hélène LAFON

Les Étés

Marie-Hélène Lafon est professeur agrégé de lettres classiques. Elle a publié de nombreux ouvrages et a été couronnée de nombreux prix littéraires prestigieux, dont le Prix Goncourt de la nouvelle en 2016 pour *Histoires* et le Prix Renaudot pour *Histoire du fils* en 2020. Tous ses ouvrages ont paru aux Éditions Buchet-Chastel.

J'ai eu treize ans le 11 novembre 1974 ; c'était un lundi. J'étais content d'être né un jour férié parce que je me suis beaucoup ennuyé à l'école, et je n'aurais pas aimé passer en classe le jour de mon anniversaire. Le lendemain matin, mardi 12 novembre, à 8 h 10, mon père s'est suicidé. Il s'est jeté sous le métro, ligne 6, station Corvisart, direction Charles de Gaulle-Étoile. Nous étions en cours d'anglais avec madame Géraud, une petite femme courtaude casquée de longs cheveux bruns luisants, annelés, qui sentaient le patchouli. Il était 11 heures quand le directeur est entré ; nous nous sommes levés et avons attendu qu'il nous autorise d'un geste à nous rasseoir, c'était l'usage avec ce monsieur Benech dont les manières cassantes, militaires, désuètes, nous en imposaient. Il a dit deux mots en aparté à madame Géraud, s'est avancé vers moi, m'a demandé de prendre mes affaires. À la douceur de ses yeux gris plantés dans les miens, j'ai compris que c'était grave. Il a ôté mon blouson du dossier de la chaise et l'a déposé sur mes épaules, d'un geste lent et souple. Je l'ai suivi. Ma marraine m'attendait dans son bureau.

Ma marraine était la meilleure amie de ma mère, sa seule amie. Ma mère, fille unique, née sur le tard de parents eux-mêmes enfants uniques, avait toujours associé Béatrice, dite Béa, à nos maigres routines familiales. Béatrice avait été son témoin de mariage à la mairie du 13e arrondissement, était sa collègue et voisine de bureau depuis dix-huit ans au centre de traitement des chèques postaux de Montparnasse, habitait boulevard Auguste-Blanqui, à deux pas de chez nous, et faisait partie de mon paysage. Jusqu'à mon entrée en sixième, je ne l'avais jamais appelée autrement que Mabéa. Elle avait cinq ans de plus que mes parents, la peau rose, des cheveux roux et moussus, des yeux clairs, cuisinait magnifiquement, jouait de l'harmonica à la fin des repas, le samedi ou le dimanche mais jamais en semaine, se passionnait chaque année pour le Tour de France, et passait ses vacances d'été, les trois dernières semaines du mois d'août, en Auvergne dans une maison de *famille*. Ma mère disait, Béa c'est un personnage ; et je sentais que cette maison de *famille*, que nous ne connaissions pas, entrait pour beaucoup dans la bienveillante aura qui était l'apanage de Mabéa.

Jusqu'en 1974, nos trois dernières semaines d'août se passaient en Creuse, chez ma grand-mère paternelle, dans le hameau de Prentegarde, à six kilomètres de La Souterraine. La mère de mon père s'y était retirée après son veuvage, survenu l'année de ma naissance, son mari et le frère puîné de mon père ayant été broyés par le Paris-Limoges dans la première voiture neuve de celui qui n'eut pas le temps de devenir mon oncle, voiture malencontreusement engagée sur la voie ferrée alors que père et fils l'étrennaient de concert après force libations dont ils étaient coutumiers. Mon père ne buvait pas, ne fumait pas, ne jouait pas au tiercé, riait peu, à bas bruit et par brèves saccades ; il précisait parfois qu'il n'avait aucune affinité avec les hommes de sa famille. Je ne connaissais pas d'homme dans sa famille ; je ne connaissais que sa mère qui me donnait le sentiment d'être transparent, ne me touchait pas, et que je n'ai plus revue après l'enterrement de mon père à La Souterraine, le 25 novembre 1974. Ma mère a rompu avec sa belle-mère et La Souterraine ; bien qu'elle fût croyante et pratiquante, elle répétait volontiers que nous n'avions pas besoin d'aller sur une tombe pour penser à Jérôme. Après sa mort, mon père était devenu Jérôme ; c'était plus commode que ton père, feu mon mari, son salaud de père, le père de mon fils, son papa, son pauvre papa, son défunt géniteur ou notre suicidé ou mon papa.

Le vendredi 8 août 1975, en milieu de matinée, Béatrice, ma mère et moi avons quitté le boulevard Blanqui et le 13e arrondissement de Paris, via la porte d'Italie, pour le Cantal. Béatrice exultait au volant de sa Dyane bleu pétrole, ma mère à sa droite, moi sur la banquette arrière, au milieu, calé, arrimé entre nos bagages et ceux de Béatrice que le coffre ne suffisait pas à contenir. Ma mère était quasiment pri-mesautière, Béatrice portait une curieuse casquette orange que je ne lui connaissais pas et appuyait avec entrain sur le champignon. Indifférent au monde, je ruminais mon premier chagrin d'amour, consé-cutif à de mémorables émois partagés entre le 14 et le 31 juillet à Saint-Brevin-les-Pins, au centre de vacances pour enfants du personnel des Postes, avec

Véronique, fille du receveur d'Yvetot. Véronique ne m'avait pas écrit, Véronique ne pensait plus à moi, Véronique était trop belle pour moi, Véronique avait un prénom de fleur, Véronique était une garce, elle m'avait donné une fausse adresse, elle m'avait pris pour un con. D'ailleurs j'étais un con. Un con de fils de suicidé. Qui n'avait même pas suffi. Et ne suffirait pas, jamais, à personne. Un minable. Une demi-portion. Véronique. Véronique. Véronique.

La nuit de Montesclide sentait fort. Le hameau s'appelait Montesclide, commune de Saint-Amandin, neuf cent cinquante-sept mètres d'altitude, une boîte aux lettres, trois maisons, celle de Béatrice, et celles des Santoire, deux fortes bâtisses flanquées de bâtiments agricoles nombreux, épars, surgis, le tout extrêmement soigné, net, sans fioritures ; au cordeau, disait Béatrice qui ne tarissait pas d'éloges sur ses voisins, les Santoire. Les Santoire n'étaient pas autochtones, ça ne s'oubliait pas, en dépit de deux décennies de présence à Montesclide ; ils venaient du Lot, des environs de Figeac, et les parents en avaient conservé un accent tenace ; au moins le père ; on voyait peu et on entendait encore moins la mère qui saluait en passant en voiture mais ne s'arrêtait pas. Madame Santoire conduisait, ce qui n'allait pas encore forcément de soi en 1975 pour toutes les femmes de paysans, nous expliquerait Béatrice dès le lendemain de notre débarquement, à la faveur d'un petit déjeuner prolongé qui me la révéla, nous la révéla, sous un jour nouveau. Mousse des cheveux enfouie sous la casquette orange, nuque dégagée, menton comme affûté, narines frémissantes, débit de paroles ralenti, voix plus rauque et travaillée de poussées chantantes,

Béatrice était à la fois elle-même et une autre. Le premier matin, encore tout à ma Véronique félonne, je considérai la métamorphose d'un regard un peu lointain et, dès le lendemain, nous découvris, ma mère et moi, en totale connivence avec cette Béatrice agricole.

On ne traversait pas Montesclide, on n'y passait pas, on y allait, puisque la route, amenuisée en chemin goudronné, s'y arrêtait, venait y mourir, y expirait, dans le dos trapu, percée de trois fenêtres basses et étroites, de la maison de *famille* de Béatrice. Nous ne connaîtrions pas la *famille* de Béatrice ; son père était mort en 1965 ; sa mère, mutique, la tête perdue, survivait, c'était le mot de Béatrice, dans une maison de retraite du chef-lieu de canton et ne reconnaissait plus ses filles depuis des années. Béatrice était en froid avec sa sœur, de quinze ans son aînée, institutrice à la retraite qui occupait la maison de *famille* une semaine en juillet, une semaine à Pâques et une autre à la Toussaint, avec son mari, natif de Bayonne, beau-frère exécré, mais sans leurs enfants et petits-enfants qui ne juraient que par le Pays basque et n'avaient pas été élevés dans l'amour du Cantal ; c'est un euphémisme, ajoutait Béatrice, en pinçant la bouche. La maison était assez nue, un peu rugueuse, crépie de gris, mais elle prenait bien la lumière et le vent, sentait le feu de bois, on allumait volontiers une flambée dans la cheminée chaque soir après le 15 août, et j'y eus aussitôt mon antre, une logette merveilleuse, blanche, vide, gagnée sur le grenier, tandis que ma mère et Béatrice se répandaient dans la pièce unique du rez-de-chaussée et les deux chambres de l'étage.

Ma cellule avait une petite fenêtre, presque carrée, qui donnait sur la cour des Santoire où, dès le samedi après-midi, j'eus la révélation de l'existence des trois enfants Santoire. Deux garçons et une fille ; dans tes âges, quatorze, douze et onze, précisa Béatrice le soir même, à ma demande pressante, sous le regard dubitatif de ma mère ; Bruno, Isabelle et Rémi, internes à Aurillac, excellents élèves, les trois, polis, jamais un mot plus haut que l'autre, toujours à aider, donner la main, disait Béatrice, aux parents qui n'employaient pas d'ouvriers agricoles pour les travaux saisonniers, la fenaison, le regain, la récolte des pommes de terre, l'entretien de l'énorme potager, les soins aux poules, aux canards, aux pintades, aux lapins. La liste était longue, à la mesure des mérites insignes de ces enfants dévoués ; asservis, pensai-je aussitôt, réduits en esclavage par des parents tyranniques. Les trois enfants Santoire ne fréquentaient pas les enfants des hameaux voisins, pareillement harassés de corvées, me dis-je, et, concéda Béatrice, inquiétaient un peu par la litanie de leurs perfections. Cerise sur le gâteau familial, ils allaient à la messe, les trois, sans leurs parents, quand une messe était dite, un dimanche sur deux, dans l'église de Saint-Amandin. Leur mère les déposait devant l'épicerie, et les reprenait au même endroit une heure plus tard.

Le dimanche 10 août, après le déjeuner, comme ma mère et Béatrice s'attardaient autour d'un café et d'une mousse au chocolat qui était l'unique triomphe culinaire de ma mère, peu portée sur les fonctions nourricières, je me retirai en ma logette, sous prétexte de reprendre la lecture de *Michel Strogoff*, que je mâchouillais vaguement depuis le début des vacances. J'étais au poste de guet, fenêtre ouverte sur la fournaise de la cour éperdue de soleil, quand les trois enfants Santoire, vêtus de maillots de bain et chaussés de sandales en plastique transparent, surgirent, libérés des besognes. Silencieux, lents de gestes, têtes nues, la peau très blanche, ils s'engagèrent sur le chemin creux et ombragé qui descendait vers la rivière. Leur rivière, la leur, la Santoire. Je nageais en pleine stupéfaction depuis la veille tandis que pâlissait l'étoile normande de Véronique. Ces enfants ahurissants portaient le même nom que la rivière qui coulait au fond du pré de leurs parents et en dessinait les limites ; c'était un hasard puisque ces gens n'étaient pas du pays, Béatrice avait insisté sur ce point, mais mon esprit enfiévré y voyait une prédestination.

Il me fallait les suivre jusqu'à la Santoire que la route du hameau longeait, avant de venir expirer à Montesclide, épousant patiemment ses méandres. Ma mère et Béatrice avaient déserté l'ombre fraîche de la cuisine et ne me virent donc pas filer. Je contournai la maison, suivis la route, et, passé le premier tournant, retrouvai le cours de la rivière, festonné de verdures luisantes et immobiles dont les noms me seraient révélés le lendemain, à ma demande, par Béatrice que mes curiosités ne prenaient jamais au dépourvu. Embusqué sous les noisetiers, gîté, tapi dans les touffes de menthe velue qui m'étaient familières depuis les étés de Prentegarde, je vis les trois s'affairer dans la lumière dansante, verte et bleue, charriant des cailloux, traversant à gué, inlassables et sautillants, soulevant des gerbes éruptives de gouttelettes argentées. Leurs cris et leurs rires me parvenaient en écho, tamisés par le babil des eaux maigres et vives de la Santoire. Le temps était suspendu et je n'entendis pas se glisser dans mon dos un pêcheur chaussé de hautes cuissardes vertes qui me contourna posément, sans un mot. À son approche le trio s'immobilisa un instant ; on se salua, en quelques gestes manifestement muets et amicaux, et l'homme disparut, avalé par le prochain méandre, sans avoir signalé ma présence. Soulagé, je fus tenté de battre en retraite, soudain conscient du caractère périlleux de ma position, mais le pli était pris et l'attraction déjà irrésistible.

Commença alors une quinzaine ébouriffante, loin de Michel Strogoff et de Véronique d'Yvetot. Les trois enfants Santoire devinrent l'unique objet de mes attentions. Béatrice et ma mère n'existaient plus que très vaguement aux confins de mon champ de conscience et, enfoncées elles-mêmes en de longs entretiens dont je ne percevais pas encore les enjeux capitaux, me laissaient une liberté immense et neuve. Tout au plus Béatrice, évasive et légère, consentait-elle à répondre de bonne grâce aux questions que je lui posais au moment des repas, les Santoire avaient-ils la télévision, les enfants savaient-ils conduire le tracteur ou traire les vaches, avaient-ils des vélos, écoutaient-ils les Rolling Stones. Il ne s'agissait pas d'approcher le clan, d'entrer en contact avec lui, d'inventer une connivence éphémère. Il s'agissait de flairer les jeunes Santoire, de se rendre invisible et omniprésent sur leur propre territoire, de les contempler sans fin, de se repaître de leurs gestes, de s'emplir de leur mystère unique incarné en trois corps efficaces.

Le trio était infatigable et comme animé de l'intérieur par des forces impérieuses qui lui conféraient une insolente autonomie. On devinait à peine les parents en leurs entours ; jamais je ne les vis ni ne les entendis donner une recommandation, encore moins un ordre ou une explication. Les deux garçons et la fille, ensemble, entraient, sortaient, de la maison, de l'étable, de la grange, du jardin, des hangars, du poulailler, des remises où l'on devinait des piles de bois impeccables ou des outils de jardinage. Ils traversaient les deux cours, charriaient des paniers de haricots verts, de salades, de carottes et d'autres légumes que je n'identifiais pas, convoyaient des brouettes vides, des brouettes pleines, des brassées d'herbe fraîche pour les lapins, des seaux de grain pour la volaille, cantonnée au-delà du potager en de vastes enclos grillagés, ou transportaient des arrosoirs pour les six pots de géraniums disposés de façon parfaitement symétrique sur le mur du jardin de part et d'autre d'un orgueilleux portail métallique peint en blanc. Ils ne marchaient pas, ils n'ahanaient pas, ils glissaient, ils dansaient, ils apparaissaient, disparaissaient, minces et puissants, nimbés plus que vêtus de jeans et d'amples chemises à manches longues, bleues ou grises. Ils n'avaient pas de visage, je les voyais le plus souvent d'en haut et de trop loin, mais leurs bras, leurs jambes, leurs torses, leurs nuques, leurs cous, leurs poignets, leurs chevilles, leurs hanches semblaient se mouvoir sans effort, de façon fluide et harmonieuse, voire magique, pensais-je en août 1975, ou encore chorégraphique, me dis-je trente ans plus tard quand ma seconde épouse, férue de danse contemporaine, m'entraîna pour la première fois à l'Opéra Garnier.

Les crépuscules étaient longs et bleus, presque sucrés si aucun orage n'avait éclaté dans la journée. Les enfants Santoire consacraient leurs soirées à l'entretien méticuleux des deux cours, arrachant l'herbe opiniâtre qui persistait à pointer ici et là, balayant ensuite le sol avec de curieux instruments, sortes de fagots minces dont ils semblaient effleurer, caresser les surfaces ainsi libérées de toute végétation inopportune. Les cours étaient nues et lisses, les six géraniums rutilaient, les deux garçons et la fille s'asseyaient enfin, épaule contre épaule, sur l'un des deux bancs de pierre, courts et trapus, qui flanquaient la porte d'entrée de la maison, et restaient immobiles dans la nuit presque close, l'unique chien de la ferme, noir et silencieux, couché à leurs pieds. Ils étaient adossés à la façade de la maison, leurs mains immobiles reposaient sur leurs cuisses, ils auraient pu fermer les yeux sous le déferlement des premières étoiles. Ils parlaient, ils se parlaient, des sons, des mots, des phrases circulaient, les précédaient, les suivaient, flottaient autour d'eux, et leur friselis inintelligible montait jusqu'à moi en même temps que le feulement sourd des eaux de leur rivière. La nuit et le monde leur appartenaient.

La fenaison étant terminée et les regains pas encore commencés, Béatrice m'avait éclairé sur le calendrier des travaux agricoles, le trio s'activait donc le plus souvent près de la maison, dans ses environs immédiats, sans que je sois contraint de m'aventurer à le pister comme je l'avais fait ce premier dimanche d'août. Les enfants Santoire étaient là, sous mes yeux, enfoncés dans le cours des jours ordinaires ; je vivais en leur lisière, muet, fervent, happé, et ils me donnaient spectacle, ils s'offraient. M'avaient-ils repéré, juché dans ma logette providentielle ? Je le croirais volontiers aujourd'hui mais, en 1975, je ne me posais même pas la question et jamais ils ne m'accordèrent le moindre signe d'attention, jamais nos regards ne se croisèrent avant le dimanche 24 août, jour de la fête patronale de Saint-Amandin. Béatrice, qui, en sa qualité de marraine, avait accompagné mon éducation religieuse du baptême à la communion solennelle, et regrettait un manque de pratique qu'elle attribuait à mon âge délicat et à la désertion paternelle, fut enchantée quand j'insistai pour les accompagner, ma mère et elle, à la messe de 10 heures. Deux garçons en surplis froissés secondaient un prêtre corpulent et bonhomme qu'auréolait une virulente odeur d'après-rasage mentholé et, enfin, le visage des enfants Santoire me fut révélé.

Ils se ressemblaient peu ; le plus jeune, Rémi, avait une face ronde, poupine, presque joviale, qui contrastait vivement avec les traits plus ascétiques et austères de ses deux aînés. À ma demande pressante, Béatrice avait su nous placer dans l'église de façon telle que j'eus tout loisir d'observer les trois profils impassibles, le repassage parfait des chemises blanches, les jeans impeccables, et le curieux chignon dur et rond d'Isabelle, porté bas sur la nuque. Bruno, Isabelle et Rémi, rompus au rituel dominical que je redécouvrais dans sa variante rurale, chantaient en chœur avec l'assemblée, murmuraient de concert les prières usuelles, s'asseyaient, se levaient, inclinèrent la tête au moment crucial de la consécration mais n'allèrent pas prendre la communion, à ma grande déception. À la sortie de la messe, ils disparurent derrière l'escouade des pompiers en uniforme et les froufrous de papier crépon des majorettes locales qui levaient la jambe en cadence sous la houlette de la présidente du comité des fêtes. Béatrice m'assura qu'ils ne manqueraient pas de consacrer leur après-midi aux auto-tamponneuses ; ils en avaient la passion, elle l'avait remarqué les deux années précédentes, et c'était presque rassurant, ajouta-t-elle, approuvée par ma mère, de voir ces enfants se comporter enfin, pour une fois, comme des gamins de leur âge.

Je ne relevai pas ce « gamin » hâtif et déplacé ; les Santoire n'étaient pas des gamins ; ils étaient des créatures, des mutants, des succubes, j'aimais ce mot dont je laissais flotter le sens, des extraterrestres, des sorciers ou des ensorcelés, mais pas des gamins. Des forces obscures commandaient leurs actions, se manifestaient par leur truchement, habitaient leurs enveloppes corporelles. Béatrice avait cuisiné, bouchées à la reine, pintade rôtie et légumes de saison, saint-nectaire et île flottante, l'entrée et le dessert relevant d'une tradition solidement établie depuis l'époque de sa grand-mère maternelle, née et morte dans cette maison. La conversation fut alerte, on évoqua cette lignée maternelle, marquée par des figures de fortes femmes que les deux guerres mondiales avaient contraintes à sortir de leurs gonds pour seconder ou remplacer des mâles diminués ou disparus. Ma mère s'anima, regard pétillant, le rouge aux joues ; sa voix changeait, sa présence s'étoffait de gestes et d'attitudes que je ne lui connaissais pas, mais il me faudrait encore le retour à Paris et quelques semaines pour prendre la juste mesure de la métamorphose en cours. Pour l'heure, j'avais mieux à faire avec les Santoire et les auto-tamponneuses.

Béatrice me déposa sur la place à 16 heures, je rentrerais à pied, le temps était lourd mais on n'annonçait pas de pluie avant la nuit. Le trio était à l'œuvre ; Isabelle, calée au volant, ne bougeait pas de la voiture, Bruno et Rémi se relayant à sa droite, s'extrayant du siège en skaï rouge, d'un bond félin, à la faveur des courtes pauses ménagées entre chaque tour pour permettre les changements de conducteurs ou de passagers. J'avais derrière moi plusieurs étés de fréquentation assidue des fêtes patronales de Saint-Maurice, Saint-Priest-la-Feuille et Saint-Sornin-Leulac, communes voisines de Prentegarde ; les auto-tamponneuses m'étaient dociles et je n'hésiterais pas à en découdre, mais il me fallait d'abord estimer la situation et les forces en présence. Les Santoire ne voulaient pas en découdre, le moins du monde, ni être touchés, je le compris très vite ; ils fuyaient le moindre contact, fût-il effleurement ou frôlement, sans parler du choc ni de la collision, ils ne tamponneraient pas et ne seraient pas tamponnés, ils ne mangeaient pas de ce pain-là ; ils glissaient, ils virevoltaient, s'immisçaient, se faufilaient, surgissaient, s'éclipsaient, regards verrouillés, visages impassibles et cependant extatiques. Les Santoire étaient invraisemblables, ils étaient liturgiques et ne me décevaient pas. J'étais leur féal, j'entrai dans leur jeu, comment faire autrement ; mais je n'avais pas leur grâce, ni leur ferveur, et j'étais seul, je n'étais que moi et quittai bientôt la lice, rompu, et repu. Flottant dans une étrange lumière grise, je remontai à Montesclide, bercé par la touffeur qui précède l'orage et les prophéties de Mike Brant, *c'est ma prière je suivrai ta loi c'est ma prière un jour viendra*, que la sono tonitruante déversait sur la place de Saint-Amandin.

Le jour est peut-être venu.

Je n'ai pas revu les enfants Santoire. À Montesclide, Béatrice et ma mère m'attendaient près de la cheminée garnie d'un feu tout préparé que Béatrice allumerait plus tard. Ma mère se lança ; nous rentrerions à Paris dès le lendemain, elles avaient beaucoup à y faire, ma vie, notre vie changeait ; nous, ma mère et moi, allions emménager avec Béatrice dans un nouvel appartement qui se libérait au-dessus de chez elle, je ne quitterais pas mon collège, elles ne voulaient plus se cacher, j'étais en âge de comprendre et Béatrice ne prétendait pas remplacer mon père. Les deux semaines de vie à trois que nous venions de partager, Béatrice employa ce verbe, avaient achevé de les convaincre, il fallait franchir le pas, pour inventer une nouvelle famille. C'était la formule de ma mère, elle s'y accrochait, manifestement émue et inquiète, plus que Béatrice, de ma réaction. Je fus cueilli, et sonné, je bredouillai, je n'avais rien contre, rien contre, je le répétais, du moment que j'aurais une chambre à moi, c'était leur vie elles faisaient ce qu'elles voulaient c'était leur vie je n'avais rien contre. Cette vie, notre vie à trois fut brève ; ma vocation éruptive pour la carrière militaire s'étant déclarée dès l'automne suivant, j'entrai en septembre 1976 au Prytanée national militaire de La Flèche et n'occupai plus que de loin en loin ma chambre du boulevard Blanqui. Au printemps 1976, la sœur aînée de Béatrice, devenue veuve, souhaita sortir de l'indivision et vendre Montesclide. Les Santoire achèteraient la maison, qui serait bien tenue et habitée toute l'année. Béatrice y consentit d'autant plus volontiers que ma mère et elle rêvaient déjà de la fermette normande où elles coulèrent ensuite, après leur retraite, une longue vieillesse douce, mes deux filles demeurant aujourd'hui très attachées à ce qui est devenu leur maison de *famille*.

Le jour des enfants Santoire est peut-être venu. Ils ne m'ont jamais tout à fait quitté et des images de cet été 1975 remontent parfois, aux moments les plus inattendus, des confins de ma mémoire adolescente. Le livre s'intitule *Les Étés*, ma femme, qui est une lectrice affûtée, l'a repéré dès sa sortie, au début du mois, l'auteur s'appelle Isabelle Santoire, c'est un premier roman dont on parle beaucoup cet automne, en dépit de l'âge de madame Santoire qui a deux ans de moins que moi et n'est donc pas une perdrix de l'année. Le livre est en lice pour deux prix littéraires de la saison, ma femme l'a lu, elle est emballée et ne me lâchera pas, je la connais. La quatrième de couverture du roman dit, *Ils sont trois, deux frères et une sœur. Ils grandissent dans une ferme et leur monde est une île. Les étés de l'enfance ne veulent pas finir. Plus tard les deux frères et la sœur partiront, ils le savent. Ils inventeront leurs vies ailleurs. Plus tard la sœur écrira ce livre.*

Alexandra LAPIERRE

L'Abat-Jour cramoisi
du Vieux Sémaphore

Alexandra Lapierre est l'une des seules romancières françaises à enquêter sur le terrain. Pour redonner vie à ses personnages, elle les suit à la trace sur tous les lieux de leurs incroyables aventures, s'imprégnant des couleurs, des odeurs, et fouillant les bibliothèques du monde entier. Elle a reçu de nombreuses récompenses dont, entre autres, le Grand Prix des Lectrices *ELLE*, le Prix *Historia*, ou encore le Grand Prix de l'héroïne *Madame Figaro*. Récemment, elle a publié *Belle Greene*, aux Éditions Flammarion, Coup de Cœur de l'été de l'académie Goncourt, Prix Roland de Jouvenel de l'Académie française et finaliste du Prix Maison de la Presse, l'histoire vraie et flamboyante de la plus afro-américaine des aristocrates.

Assise à mon bureau dans le minuscule appartement où j'avais emménagé après le départ de mes
fils – trente mètres carrés où j'étouffais à Paris –, je
téléphonais à ma jeune sœur... Enfin, plus si jeune.
Cinquante-six ans, pour elle. Cinquante-huit, pour
moi. Jeunes, absolument, jeunes tout de même.
Je nous trouvais, l'une et l'autre, toujours jolies.
Pleines d'énergie. Encore capables d'accomplir de
grandes choses. De nous lancer dans des entreprises
excitantes.

— ... Alors, qu'est-ce qu'on fait ? lui demandai-je.
On la récupère ?

Une haute bâtisse en pierre grise qui datait du
XIXᵉ siècle et se dressait, solide, immuable, au
sommet d'une falaise. Notre maison d'enfance.
Un ancien Sémaphore perdu dans la lande dorée,
à la pointe d'une île de Bretagne. Notre paradis pour
les vacances. D'un côté : le vent, les vagues se brisant contre les rochers dans une rumeur de tempête,
et la mer immense jusqu'à... l'Amérique. De l'autre,
au sud du jardin : un petit port bien abrité où nous

amarrions nos barques, avec une crique de sable fin où nous descendions nous baigner.

En vérité, un lieu d'une beauté sans égale. Un endroit d'une puissance rare.

Hélène et moi adorions cette maison. Nous venions d'en hériter au décès de notre père. Ce dernier l'avait louée – malgré nous – à toute une série de locataires qui l'avaient mal entretenue durant trente-cinq ans. En clair : nous n'avions pas pu y mettre les pieds pendant notre vie d'adulte. Certes, nous nous y étions toutes les deux mariées, comme notre mère et notre grand-mère avant nous. Mais, ensuite, nos enfants n'y avaient passé aucunes vacances et n'en avaient pas le moindre souvenir. Les ultimes locataires, qui occupaient la maison depuis cinq ans, venaient de m'envoyer un mail avec une liste de plaintes dont j'informai ma cadette depuis mon portable :

— … J'y vais, je te lis ce qu'ils disent ?

— Je t'écoute.

— « Mesdames, Veuillez recevoir toutes nos condoléances pour la disparition de l'ancien propriétaire, monsieur votre père. »

— C'est plutôt gentil, comme début, approuva Hélène.

— Si on veut, bougonnai-je.

— Continue.

— « La gérante, que monsieur votre père avait mandatée sur l'île afin de le représenter, ne se soucie ni de notre bien-être ni de notre sécurité. Nous souhaiterions donc vous faire part directement de nos inquiétudes… »

Je m'interrompis pour commenter :

— Entre parenthèses, la gérante m'a dit que ces gens l'avaient rendue dingue… Pas un jour, depuis leur entrée dans les lieux, où ils ne l'aient appelée pour se lamenter de tout. Papa a englouti des fortunes dans les aménagements qu'ils réclamaient. Le chauffage à distance. La baignoire d'angle. Les chiottes suspendues. L'antenne parabolique, avec connexion satellitaire. Le terrain de bowling, avec éclairage dans la pelouse. Il n'a certes pas cédé à tous leurs délires, comme le Jacuzzi extérieur ou le sauna au sous-sol. Mais il était tellement obsédé par la volonté de laisser des locataires dans la maison qu'il leur a financé un truc ici, un machin là, tous les gadgets. La gérante me les décrit comme un couple de grands bourgeois bling-bling, tout droit sortis de leur immense loft parisien. Plus exigeants et chiants, tu meurs. Ils sont jeunes, pourtant. Moins de quarante ans. Lui serait *trader* ou banquier, quelque chose comme ça. Elle ? Un ancien mannequin qui travaillerait aujourd'hui dans l'événementiel. On se demande ce qu'ils foutent dans un Sémaphore, sur une île paumée. En plus, à en croire la gérante, ils ne viennent qu'au mois d'août, et peut-être deux week-ends par an.

— On s'en fiche. Avance.

— « Notre vœu le plus cher est que ce lieu devienne un endroit salubre pour nos trois petits, dont les poumons souffrent beaucoup de l'humidité. La maison a besoin d'être sérieusement rénovée. Entre autres problèmes : les tuiles qui manquent ; les robinets qui fuient ; le courant qui saute ; les vitres qui vibrent ; les poutres qui pourrissent ; la charpente qui s'effondre… »

Hélène pouffa :

— Arrête !

— Je voudrais bien, mais ça continue comme ça pendant deux pages.

— Qu'est-ce qu'ils veulent ?

— À part qu'on refasse pour eux le toit, l'électricité, la plomberie, les fenêtres et qu'on impose silence à la mer ? Ce qu'ils veulent ?... Acheter la maison, bien sûr !

— Combien ?

Je m'insurgeai :

— Hélène ! Tu ne vas pas vendre le Vieux Sémaphore à ces gens, tout de même !

— Ça dépend du prix qu'ils en proposent : si c'est une offre qu'on ne peut pas refuser...

— *Une offre qu'on ne peut pas refuser* ? Tu me fais marrer ! Après le tableau apocalyptique qu'ils viennent de nous brosser, ils comptent bien obtenir le Sémaphore pour une bouchée de pain.

— En tout cas, laissons-les venir.

— Qu'entends-tu par là ? Ils exigent une restructuration totale...

Elle me coupa, sévère :

— Tu as les moyens de changer la toiture ?

— Non.

— Moi non plus. Alors, s'ils désirent acheter, ne fermons pas la porte... Qu'écrivent-ils en conclusion ? Résume. Saute à la fin.

— Difficile de résumer. Bon... Ils disent qu'ils veulent offrir à leurs trois garçons une vie au grand air. Qu'ils sont très attachés à la propriété malgré ses immenses défauts. Que les travaux indispensables et urgents pour remettre la maison en état se chiffrent à plusieurs centaines de milliers d'euros – 400 000 aujourd'hui, selon les devis minimaux des différents corps de métier. Qu'ils seraient prêts à se consacrer à cette immense tâche pour le restant de leurs jours. Qu'ils se montrent donc disposés à acquérir le bien pour un prix raisonnable… Qu'ils attendent notre offre.

— Tu vois !

— Je vois quoi ? Qu'ils veulent la maison ? Je n'en doute pas. Mais nous, nous avons attendu de revenir au Vieux Sémaphore toute notre existence ! Papa, qui en a eu l'usufruit à la mort de maman, s'est débrouillé pour se venger de ses cocufiages, la série d'amants qu'elle lui a imposés leur vie durant, en nous privant de ce qui lui tenait, à elle, le plus à cœur : sa maison de famille… Son histoire. Son passé. Et aussi son avenir. Ce qu'elle avait travaillé à embellir, à consolider et transmettre… Il ne l'a pas ratée. Elle qui avait tant rêvé que ses petits-enfants grandissent au Vieux Sémaphore, qu'ils trouvent, durant leurs vacances, la paix, la joie, la beauté qu'elle-même, que nous, ses filles, avons toujours trouvées en ces lieux magiques !

Je m'interrompis, repensant à nos rocks endiablés avec nos petits copains, à la seule lueur du grand abat-jour cramoisi. Juste cette lumière rouge, comme dans une boîte de nuit, et les Stones à tue-tête. Et quand nous reprenions notre souffle entre les morceaux : la rumeur de la mer qui battait au rythme du sang dans nos veines.

— … Aujourd'hui, la maison nous revient, triomphai-je. Et, coup de bol : les derniers occupants se plaignent de tout, quand leur bail arrive à échéance. C'est le moment de bouger. Et de bouger vite.

— Bouger vite ?

— Leur répondre que nous n'avons aucune offre à leur faire, car la maison n'est pas à vendre. Dire que nous désirons récupérer l'héritage de nos parents. Et leur donner congé à la fin de leur bail.

— Et qui paiera les travaux ?

— On s'en fout, des travaux ! Le Sémaphore a toujours été humide et vétuste. Mais nous l'aimions à la folie comme cela. Si nos enfants n'ont pas pu en profiter, que leurs enfants à eux en jouissent ! Ça aura juste sauté une génération, et voilà tout. Ta petite Élodie adorera cet endroit. Et mon Elios… Ce sera formidable pour la bande des cousins de se retrouver au Vieux Sémaphore, chaque année ! Tu te souviens de cet été – l'été de mes seize ans après mon bac de français – où les cousins nous avaient emmenées explorer la Grotte noire ?

— Si je m'en souviens ! L'été de mon BEPC. Avec Pierre et Jacques… Comme si c'était hier.

— Pierre, mon premier amour.

— Mon premier amour à moi, tu veux dire, que tu m'as piqué !

J'éclatai de rire :

— Au fond, c'était complètement dingue, ce qu'ils nous faisaient faire.

— Oui. D'une inconscience ! Toi qui étais la plus grande tu aurais dû t'en rendre compte et empêcher ces bêtises.

— Le danger ne m'a même pas effleurée ! Mais Pierre savait combien c'était risqué.

— Risqué ? Tu plaisantes ! Débile. On aurait pu y rester.

Je revoyais nos deux barques battant les rochers au fond de la grotte, alors que la marée montait et que la mer s'apprêtait à nous engloutir… Et puis Pierre, très calme à la proue, sortant de l'océan, un à un, de splendides poissons d'argent, d'énormes bars qui se débattaient au bout de sa ligne. Une pêche miraculeuse comme tous les pêcheurs du coin en rêvaient.

— … Quelle nuit dingue ! soupirai-je, nostalgique.

— Tu avais, en effet, l'air de trouver cela très amusant. Comme d'habitude. Mais c'était atroce. Une folie dont je garde, moi, un souvenir cauchemardesque.

— Une folie qui s'est quand même bien terminée. Avoue… De bons moments !

— Tu parles ! Je criais, je pleurais, je te suppliais d'obtenir de ce kamikaze de Pierre qu'il nous sorte de là, qu'il nous ramène au port… Tu t'en foutais.

— Tu me suppliais ? J'avais oublié. De toute façon, les vagues faisaient un tel raffut qu'on n'entendait que cela dans la grotte, la mer.

— Entre nous, vous faisiez toujours comme si je n'existais pas. Toi particulièrement, qui te voulais si brave, si intrépide – toujours en représentation devant les cousins. Tu aurais pu me protéger, à la place de me mépriser.

Ça y est, elle remettait ça ! Le complexe d'infériorité. Alors que nous nous étions entendues comme larrons en foire durant notre jeunesse, et bien au-delà, elle recourait sans cesse aujourd'hui à ces accusations qui ne correspondaient pas à la réalité. En tout cas, pas à mes yeux.

Hélène est – a toujours été – un boute-en-train. Gaie, drôle, active. Certes, dans son adolescence, elle s'était mise à grossir, elle était même devenue très, très, très ronde. Mais cela ne l'empêchait pas de plaire. Au contraire. Elle compensait sa dis-grâce physique – assez momentanée – par sa joie de vivre. Toujours prête pour la rigolade. La pre-mière à boire, à rire et danser. Nous avons fait les quatre cents coups *ensemble*... Je ne l'ai forcée à rien. Aujourd'hui, à l'entendre, je lui ai imposé tous *nos* choix, sans prendre en compte ses propres désirs. Elle, elle n'a jamais fait que de me suivre et m'obéir car, comme elle le répète si souvent maintenant, *elle compte pour du beurre*.

— Tu m'as constamment écrasée. Et surtout pen-dant nos vacances au Sémaphore. Tu me trouvais sans doute trop nulle pour émettre un jugement. Trop nulle pour que quiconque daigne m'écouter.

La première fois qu'elle m'a tenu ce discours misérabiliste, je suis tombée des nues. En vérité, c'est récent. Moins de cinq ans... Des tirades venues de nulle part, à propos de rien. Et depuis, à la moindre discussion autour du passé, d'impressions d'enfance ou d'intérêts communs, elle revient sur cette affaire de mépris. Une méthode follement efficace, qui m'oblige à lâcher prise dans la seconde... Histoire de lui prouver que, non, non, je ne suis pas la plus forte, et que non, non, je ne la méprise pas.

Entre nous, je n'ai admiré personne autant que ma sœur... Sa gaieté et sa force, justement ! Son incroyable sens pratique. Son habileté à traiter les affaires, notamment son divorce, qu'elle a si bien géré. Sa patience.

— Te mépriser, moi ? Hélène ! Je ne t'ai jamais méprisée !

— En tout cas, tu ne m'as jamais défendue ni même soutenue. Quand on jouait au strip poker autour du grand abat-jour cramoisi, non seulement tu n'empêchais aucun des cousins de me réclamer mon soutien-gorge ou ma petite culotte, mais tu les réclamais avec eux.

— C'étaient des gages. Et si tu voulais jouer au strip poker avec nous, tu devais respecter les règles. Moi aussi, je devais me déshabiller quand je perdais. Eux aussi se mettaient à poil, ou presque.

— Tu t'es toujours cru au-dessus de moi. Pourquoi le nies-tu ?

Attention : danger.

Une victime de tout temps. *Ma* victime.

J'ai appris, maintenant, à redouter ses étranges crises qui ne nous conduisent nulle part. Sinon à des dénégations et des protestations de ma part, dénégations où elle voit la preuve irréfutable de mon aveuglement. Et de mon dédain.

… Et pour la maison, pour le Vieux Sémaphore que les locataires voulaient nous acheter ?

À en juger par la façon opposée dont nous nous rappelions l'épisode de la Grotte noire, les parties de poker, et les soirées autour du grand abat-jour cramoisi – soirées magiques pour moi, « cauchemardesques » pour elle –, je commençais à redouter que nous n'ayons pas du tout, mais pas du tout, la même vision de l'avenir.

Depuis la perte du Sémaphore, j'avais toujours pensé que nous partagions ce rêve... Nous retrouver un jour toutes les deux avec nos amoureux, nos enfants, nos petits-enfants, leurs copains, leurs cousins, que sais-je, pour de longues soirées d'été dans la rumeur des vagues, autour de l'abat-jour cramoisi du salon. Toujours senti que nous attendions cette heure, avec la même impatience. Toujours senti aussi que nous souffrions du manque de la même façon. Ne plus pouvoir retourner dans la maison avait été une souffrance. La perdre au profit d'autres familles : un véritable deuil. Et maintenant, voilà que le Vieux Sémaphore redevenait vivant, possible, atteignable... Qui dira la puissance d'une maison où l'on a été follement heureux ?

Mais si Hélène n'avait connu en ce lieu que l'humiliation...

Méfiance.

Sans doute ne tenait-elle pas à ses souvenirs d'enfance, contrairement à ce qu'elle m'avait laissé croire jusqu'à sa maturité.

Sans doute même souhaitait-elle s'en débarrasser ? Fermer la porte sur le passé, une bonne fois pour toutes.

Vendre. Vendre à n'importe qui. À ces gens. Vendre pour avancer. Qu'avions-nous besoin de nous charger d'une bicoque délabrée dont l'entretien allait, en effet, nous ruiner ? Au fond, nous avions construit notre vie d'adulte *sans* cette maison. Elle appartenait indubitablement à une époque révolue. Pourquoi ne pas l'accepter ?

Je bataillai encore.

— Les locataires actuels ne cessent de se plaindre : ils n'ont qu'à partir. En tant qu'héritières, nous leur expliquons que nous ne renouvelons pas leur bail et que nous reprenons notre maison.

— Une démarche légale, en effet : cela s'appelle « un congé pour reprise ». (Hélène est avocate spécialiste de l'immobilier, elle connaît son sujet.) Mais comment assurerons-nous l'entretien du Sémaphore, sans le loyer qui tombe tous les mois sur nos comptes en banque ?

Elle savait très bien que je gagnais mal ma vie. Je travaille pour une ONG implantée en Afrique. Et lorsque je ne tourne pas en rond à Paris, je me trouve sur le terrain dans des conditions difficiles. Quant à mes deux fils, ils ont, avec leurs épouses, des emplois passionnants, mais peu rémunérés.

— On va encore en prendre pour trois ans de chicaneries, insistai-je.

— C'est pourquoi, si ces gens veulent acheter le Sémaphore, il faut le leur vendre.

— Jamais !

J'avais hurlé dans mon portable.

L'idée m'était juste insupportable. Quand on a cette chance inouïe de posséder un endroit pareil, on combat jusqu'au bout pour le garder.

Elle attendit la fin de ma tempête émotionnelle, avant de conclure :

— Écoute, comme nous ne savons pas quoi faire, ne faisons rien. Conservons les choses telles quelles… Ils paient leur loyer, c'est déjà pas mal. On verra plus tard.

151

Nous laissâmes donc passer les délais pour « donner congé » et le bail fut automatiquement renouvelé pour trois ans.

Trois ans d'enfer, où nos locataires nous accusèrent sans relâche de leur louer un cloaque insalubre, dont l'humidité détruisait la santé de leurs enfants. À les entendre, les petits se consumaient dans une ruine. Ils finiraient phtisiques dans un sanatorium. Les « malheureux parents » ne pouvaient laisser les propriétaires tuer leurs bambins sans réagir.

Nous étions coincées. D'une part, « les malheureux parents » nous empêchaient de juger du véritable état des lieux, en nous refusant l'accès au Sémaphore ; de l'autre, ils nous bombardaient de menaces suivies de trémolos sentimentaux et d'offres absurdes pour acquérir la maison – 40 000 euros, 50, 60. Des enchères pénibles et insultantes. L'agence immobilière reconnaissait que le Sémaphore, tel qu'ils le décrivaient, ne valait pas grand-chose, mais elle l'estimait quand même beaucoup plus cher. De toute façon, je le disais, je le répétais : nous n'étions pas vendeuses !

Quant à la gérante, à laquelle nous avions confié le soin de jouer les médiatrices dans nos relations désastreuses avec nos locataires, elle se trouvait régulièrement obligée de faire venir des entreprises du continent pour programmer des travaux délirants ; et contrainte d'éplucher des devis hors de prix, qu'elle finissait par écarter. De concert avec elle, nous assurions l'essentiel, mais refusions de céder aux projets pharaoniques de restauration, de rénovation, de reconstruction, de modernisation qu'exigeaient nos bobos.

Pour tout le monde, la maison finissait par devenir une obsession. Elle bouffait nos pensées, notre énergie, notre temps. Nous nous consumions en négociations à la mords-moi-le-nœud, en réponses aimables ou en fins de non-recevoir aux exigences. Mais toutes nos conduites, toutes nos tactiques restaient sans effet pour obtenir la paix : nos locataires ne lâchaient pas prise. Ils alternaient les lettres recommandées avec accusé réception chaque mercredi ; les mails chaque dimanche ; et les coups de fil à toutes les heures du jour et de la nuit, durant la semaine. Un véritable harcèlement.

— On a fait une erreur. On aurait dû leur demander de partir. La prochaine fois, à la fin des trois ans, ils doivent s'en aller, martelai-je alors que je déjeunais avec Hélène dans sa cuisine.

— N'empêche, commenta-t-elle avec satisfaction, ils augmentent leur prix d'achat de mois en mois... On finira par arriver à une transaction raisonnable.

Je fusillai Hélène du regard.

— On ne vend pas une maison aussi magique à des personnes pareilles. Avec leurs rêves de grandeur, leurs escaliers à double révolution, leurs rampes en fer forgé, leurs salles de bains en marbre et leurs robinets en or, ils vont la bousiller. Une maison, ça a une âme. Une maison, c'est vivant. Et, non, non, non : on ne vend pas une maison qu'on aime à des gens qui n'en apprécient pas les charmes et, au fond, qui les méprisent !

Décidément, le mépris était à l'ordre du jour.

Six mois avant la fin de leur terme, je fis exactement ce que ma sœur me reprochait : je passai outre à sa volonté et décidai, contre son avis, d'envoyer une lettre recommandée aux locataires. Je les prévenais que nous reprendrions la maison à la fin de leur bail, le 1er juillet 2019.

— Tu sais à quoi tu t'engages ? articula Hélène, glaciale. Te ruiner pour le Vieux Sémaphore. Mais je te préviens : ce sera sans moi ! Je suis encore trop jeune pour sacrifier ma vie à ce puits sans fond.

— Si tu ne tiens plus à la maison, tu fixeras ton prix, je te rachèterai ta part.

Elle ricana :

— Avec quel argent ? Tu n'as pas un sou de côté.

— J'emprunterai.

— Et tu emprunteras aussi pour refaire la toiture ? Tu sais combien ça coûte, l'entretien d'une maison pareille ?... À ma connaissance, tu n'en as pas les moyens et tu ne les auras jamais, ma chérie ! Ni toi ni moi.

— Je ne la rendrai pas luxueuse. Juste confortable. *Comme avant.*

— Comme avant, c'était un lieu de vacances.

— Et maintenant aussi. Je me suis renseignée : le mec est l'héritier de l'une des plus grosses fortunes de France. Il vient sur l'île en hélicoptère, c'est te dire le genre ! Alors, basta. S'il veut s'acheter un château pour des clopinettes, le continent n'en manque pas. Qu'il aille porter sa mégalomanie et ses magouilles ailleurs.

Elle haussa les épaules.

— Tu te fiches un sacré boulet à la patte. Et je ne veux prendre aucune part à cette bêtise. C'est du suicide.

Tant par notre dissentiment – la première
dispute de notre vie – que par la justesse de
arguments, Hélène me laissa très angoissée. N
bataille autour de la maison allait laisser des trac
Elle polluait notre passé, elle engageait notre aveni
Allions-nous finir brouillées à cause de cette his
toire ? Nous qui nous étions si bien entendues.
Une relation pleine de joie... Du moins l'avais-je
cru. J'avais probablement pris mes désirs pour des
réalités durant cinquante-huit ans ! En réalité, elle
détestait le Vieux Sémaphore. Cette découverte me
minait. Une révélation. Et je ne pouvais nier que
ma conduite d'aujourd'hui lui prouvait exactement
ce dont elle m'accusait : à n'en pas douter, elle
comptait, encore et toujours, « pour du beurre ».

D'un point de vue pratique : désastre aussi.
Le Sémaphore était notre seul héritage. Où trouverai-je
l'argent pour lui racheter sa part ? Pour m'embarquer dans une rénovation ? Pour assumer, au jour
le jour, les frais d'entretien ? Ça promettait !

... Enfin, bon : *foutue pour foutue* – comme disait
notre mère qui savait être grossière –, j'aurais au
moins essayé d'être fidèle à sa mémoire et tenté de
rendre son charme d'antan au Vieux Sémaphore.

Je dois dire que la vie que nous menèrent les locataires durant les six mois qui les séparaient de leur
départ me conforta quand même dans ma décision.
Ils ne donnèrent aucune suite à mon congé mais
continuèrent de nous harceler, ou du moins de harceler ma petite sœur. Sans doute avaient-ils compris
qu'ils n'obtiendraient rien de l'aînée, cette proprio
caractérielle qui ne leur cèderait pas la maison. Ils

ne passaient désormais que par Hélène, laquelle me transmettait fidèlement leurs desiderata. Je me sentais coupable de la laisser affronter leur mauvaise humeur, seule. Elle haussait les épaules et lançait avec sa gaieté habituelle : « T'inquiète, je gère ! »

N'empêche, ces richissimes mégalos devaient nous laisser tranquilles ! Je commençais à piaffer d'impatience. Mais j'avais peur. Je faisais chaque nuit le même rêve. Je me trouvais en équilibre, debout dans une barque qui dansait au pied du Vieux Sémaphore. J'étais trempée, transie. Au-dessus de moi, à travers la pluie et les mèches qui me tombaient dans les yeux, je voyais très clairement briller la lampe avec son grand abat-jour cramoisi qui illuminait la baie vitrée du salon. Des silhouettes s'affairaient autour de la table, inconnues. Petit à petit, la lumière irradiait toutes les fenêtres, un embrasement rouge et festif qui n'avait rien d'inquiétant dans la pierre grise... C'était très gai, au contraire, merveilleusement chaleureux. Mais, moi, je devais rester à tanguer dans ma barque, sur la mer en furie. Au loin. Dehors. Je me réveillais en me disant que ce n'était qu'un cauchemar sans importance, que, dans dix jours, une semaine, le 1er juillet, je pénétrerai de nouveau dans la maison. Trente-cinq ans que j'attendais ce moment !

Vingt-quatre heures nous séparaient donc de la date fatidique, quand le pire arriva, ce qu'Hélène espérait – ce que je redoutais : les locataires venaient de lui soumettre une offre d'achat tout à fait acceptable. Et même une offre inespérée. *L'offre qu'on ne peut pas refuser.* 400 000 euros.

— Tu as vraiment bien joué ! s'exclama-t-elle
en m'apprenant la nouvelle au téléphone. Tu es
un vrai génie de la négociation, ma Clotilde ! Tu te
rends compte ? Tu as réussi à les faire passer de
40 000 euros à... 400 000 ! Les mettre à la porte
était la bonne tactique. Chapeau, ma vieille, chapeau.
J'avais tellement besoin d'argent... Tu me sauves !

J'étais atterrée.

— Mais le Sémaphore, Hélène, c'est une histoire
de sentiments ! On n'échange pas des sentiments,
des émotions, de l'amour contre des euros !

— *Parole, parole, parole !* Au prix que tu as obtenu
pour la maison, tu ne peux avoir aucun regret...
De toute façon, la garder eût été une idiotie.

Dans sa tête, c'était fait, accepté, emballé, terminé.
Il n'y avait pas de discussion possible. Pas d'autre
solution au problème. Que demandait le peuple ?
On avait de la chance ! Nous nous départions d'un
boulet.

— Bravo, ma chérie, s'extasiait-elle. Ça résout
tout !

En l'entendant me féliciter et se réjouir de façon
aussi extatique, je mesurai brutalement qu'il pouvait s'agir pour elle de bien autre chose que d'une
histoire d'argent.

Une revanche ?

Sur qui ? Sur ses souvenirs d'enfance ? Sur notre
mère ?

Ce n'était peut-être pas le fric qui intéressait
Hélène, dans cette affaire...

En tout cas, pas seulement.

Une vengeance ?

Contre qui ? Contre moi ?

Je passais des nuits abominables à chercher une issue. Je n'en trouvais pas. Si j'empêchais cette vente, si je m'y opposais, je privais Hélène d'une somme conséquente dont elle avait besoin. Je devrai donc la dédommager. Lui offrir la moitié de ce qu'on nous proposait.

Impossible ! Je n'avais pas les moyens de donner 200 000 euros à ma sœur !

— J'ai besoin de cet argent pour vivre, me répétait-elle. Tu ne te rends pas compte ! J'en ai besoin ! Je me suis endettée à mort pour racheter les parts de l'étude à mes associés.

Que faire ? Mon Dieu, que faire ?

Me rendre à l'évidence. Me rendre à la raison. Il n'existait pour moi aucun moyen de garder le Vieux Sémaphore si elle voulait s'en séparer.

Foutue pour foutue… Que ça aille vite ! Une opération chirurgicale, rapide. Un coup de bistouri. Je priai le notaire d'organiser la vente de concert avec Hélène, et de conclure sans délai. Je refusai de rencontrer les locataires et d'apparaître à la signature du compromis. J'envoyai une procuration à ma sœur, lui laissant le soin de rassembler les actes. À ce stade nous étions aussi pressées l'une que l'autre. Qu'on en finisse ! Je ne voulais plus entendre parler de rien. Qu'on en finisse, qu'on en finisse !

Quelques jours avant la transaction définitive, je donnai de nouveau procuration à Hélène et quittai la France. Une fuite sur une autre île, une île au soleil, chez une amie espagnole.

Totalement déprimée, je m'enivrai au cava, en tentant de me convaincre que la perte du Sémaphore n'était pas un si grand drame, que la lumière de Minorque valait bien les brumes de Bretagne, que j'avais tort de broyer du noir.

J'avais beau me le répéter, mon âme se crispait jusqu'à la paralysie.

J'essayais de me raisonner. Je tentais de comprendre. Pourquoi cette maison me tenait-elle tant à cœur ? Était-ce la nécessité de retrouver mes racines, après tous les bourlingages de ma vie ? De me retrouver moi-même, après tant d'années d'errance sur les routes du monde ?

Peine perdue. L'introspection ne me conduisait nulle part.

Je fantasmais alors sur le hasard, rêvais d'un coup de théâtre. Au dernier moment, au moment de signer, le notaire révélerait qu'Hélène n'était pas la fille de maman... Qu'elle n'avait donc aucun droit sur le Sémaphore, et ne pouvait le vendre, puisqu'il ne lui appartenait pas !

J'en étais là – en plein mélodrame – quand le ding de mon portable m'annonça l'arrivée d'un SMS. J'y jetai un coup d'œil :

— Ma sœur... grommelai-je. Je lirai son message plus tard.

— Regarde quand même ce qu'elle veut, suggéra mon amie.

J'ouvris la messagerie.

Deux mots : « Vente réussie. »

Je sentis le sang me descendre au bout des orteils. C'était fini. Terminé. L'estocade. Le Vieux Sémaphore, pour moi, était mort.

Le notaire m'envoya la somme qui me revenait. Qu'en faire ? Aider mes fils à monter leur boîte ? Partir en croisière avec mes petits-enfants ? Tout claquer en voyages avec mes copines ? Je me sentais complètement perdue. Je décidai donc d'attendre ; de prendre un peu de distance ; et d'éviter de voir Hélène pendant quelque temps.

Je lui en voulais atrocement : qu'elle ose encore me dire une fois, juste une fois, qu'elle *comptait pour du beurre* !

À la fin de l'année, je rencontrai l'ancienne gérante de la maison dans un cinéma de la Rive gauche. Elle passait ses vacances de Noël à Paris. Debout, tournées l'une vers l'autre entre les rangées de fauteuils, nous nous donnâmes des nouvelles. Je ne pus retenir une question amère, que je lançai sur un ton plein de légèreté :

— Alors, ils sont contents, ils vous fichent enfin la paix ?

— Qui ?

— Les nouveaux propriétaires.

Il y eut un blanc.

J'insistai :

— ... Nos ex-locataires, ils se montrent satisfaits ?

— Mais vos locataires sont partis depuis belle lurette !

— Comment ça, partis ?

— Ils n'habitent plus le Sémaphore depuis que vous leur avez donné congé.

— Mais pour 400 000 euros, ils ont...

— Le prix le plus bas, auquel l'agence avait estimé la propriété l'année dernière, oui. Toutefois, durant leurs derniers six mois, ils ne m'ont plus demandé de l'acheter. Ils avaient cessé d'être intéressés, je pense. Ils avaient trouvé mieux ailleurs. Un lieu moins compliqué... Du coup, ils sont devenus plutôt gentils. Et même tout à fait charmants et sympathiques ! En les connaissant mieux, je me suis rendu compte que je les avais méjugés, qu'ils n'étaient pas, mais pas du tout, les gens que je croyais. D'excellents locataires au contraire, qui prenaient les choses très à cœur. J'en ai connu tellement qui s'en fichent ! Quoi qu'il en soit, ils n'ont plus causé de problèmes. Ni fait d'offres, à ma connaissance... Il n'y a du reste eu aucune proposition pour le Vieux Sémaphore, au moment de leur départ. À part celle de votre sœur, bien sûr.

— Ma sœur ?

— Madame Hélène, qui vous a racheté la maison.

Saisie, je ne comprenais pas. La gérante poursuivit :

— Je crois qu'elle s'y trouve en ce moment. Elle y passe Noël avec sa tribu. Enfants, petits-enfants, ils y resteront pour les fêtes. Une famille chaleureuse, très attachée à l'île... Ça leur fera de beaux souvenirs de vacances !

Le film commençait. Les spectateurs nous prièrent de nous asseoir. Je m'abattis dans mon fauteuil avec, en moi, le sinistre craquement intérieur d'un arbre qu'on abat... Je n'entendis rien au spectacle qui se jouait devant moi.

Qu'est-ce que c'était que cette histoire ? Hélène m'avait dit qu'elle n'avait pas le sou ! Qu'elle avait absolument besoin d'argent... Que ses problèmes financiers l'étranglaient au point de n'avoir d'autres choix que de céder le Sémaphore à des étrangers.

Se pouvait-il qu'Hélène m'ait menti ? Manipulée ? Dupée ?

Se pouvait-il qu'elle ait acheté en douce le Vieux Sémaphore ? Qu'elle s'en soit emparée derrière mon dos ?

Qu'elle m'en ait spoliée ?

Le surlendemain me trouva très agitée sur le minuscule ferry qui, du continent, le soir, faisait la navette. La bise glaciale de l'hiver balayait le pont. L'écume des vaguelettes moutonnait au cœur d'une mer d'encre. Loin au-dessus du bateau, je voyais sur la falaise l'immense bloc de la maison avec ses coins de granit, qui fermait la nuit.

J'étais la seule passagère. Le capitaine m'avait connue adolescente : il accepta de me débarquer directement dans le petit port, au pied même du Sémaphore. Je n'eus qu'à grimper le sentier, jusqu'à la baie vitrée qu'illuminait une lueur pourpre.

La porte s'ouvrit sur le plus jeune de mes neveux.

— Tante Clotilde, ça alors, s'exclama-t-il, mais qu'est-ce que tu fais sur l'île ? Je croyais que tu ne supportais plus notre climat pourri, que tu détestais la Bretagne. Tu n'es pas à Minorque ?... Maman ! hurla-t-il en se retournant vers le salon : Tante Clotilde est là !

C'est alors qu'Hélène parut. Une charmante mère de famille, toujours jeune et mince dans son jean, n'affichant aucun signe de gêne ni même la moindre surprise.

— Ma chérie ! s'exclama-t-elle en m'étreignant. Quelle joie ! Ne reste pas dehors, tu vas attraper froid. Entre, entre… Rien n'a changé dans la maison, tu vas voir. J'ai même retrouvé la vieille lampe du salon. Regarde. Le grand abat-jour cramoisi que tu aimais tant. Ah, tu n'as jamais compté pour du beurre, toi, au Vieux Sémaphore ! Tu le sais, ma chérie : tu seras toujours la bienvenue ici… Chez moi.

Cyril LIGNAC

Poulet rôti à l'origan frais et au citron

Cyril Lignac est chef cuisinier et chef pâtissier. Propriétaire de plusieurs établissements, il est aussi l'auteur de nombreux livres de cuisine et anime plusieurs programmes télévisuels. Faisant partie des personnalités préférées des Français, Cyril Lignac sait mieux que personne décrire le bonheur de croquer dans un pain au chocolat, ou nous faire sentir l'odeur du poulet rôti par écran de télé interposé.

Pour 4 personnes
Temps de préparation : 15 minutes
Temps de cuisson : 1 h 30

Ingrédients :

1 poulet fermier de 1,5 kg
1 gros citron jaune non traité
50 g de beurre
5 branches d'origan frais ou sec
500 g de pommes de terre
Huile de pépins de raisin
Sel fin et poivre du moulin

Recette :

Préchauffe ton four à 200 °C.

À l'intérieur de la volaille, assaisonne avec du sel et du poivre, ajoute le citron jaune coupé en quartiers en en réservant un peu, puis bride la volaille.

Tu peux aussi la demander à ton boucher déjà bridée et tu mettras le citron en quartiers autour.

Assaisonne avec du sel et du poivre toutes les faces de la volaille.

Épluche les pommes de terre et rince-les à l'eau froide, puis coupe-les en gros cubes, dépose-les dans ton plat, sale-les légèrement. Verse un petit verre d'eau par-dessus.

Dépose le poulet sur les pommes de terre, verse un bon trait d'huile et badigeonne de beurre le poulet, ajoute les branches d'origan sur la volaille, tu peux aussi en mettre dans le poulet, ajoute du citron sur les pommes de terre.

Enfourne le plat et fais rôtir le poulet 1 h 30. Arrose-le du jus de cuisson à la moitié du temps.

Au terme de la cuisson, sors-le du four, découpe-le en morceaux et remets-les dans le plat avec les pommes de terre.

Tu peux ajouter des amandes blanches concassées et un joli bouquet d'herbes du jardin.

Être cuisinier, c'est imaginer des plats qui racontent des histoires…

Alors quand j'ai su le thème du recueil de l'année, ça a forcément résonné en moi. Souvenirs de vacances… Le déclic a été immédiat.

Pour moi, les vacances sont synonymes de famille, de copains, donc rien de tel qu'un bon poulet rôti, plat à partager par excellence. Qui veut l'aile ? Qui veut la cuisse ?

Évidemment, il m'était impossible de ne pas évoquer les produits méditerranéens pour accompagner mon poulet. Avec du citron de Menton, gorgé de soleil, de l'origan et des herbes fraîches du jardin. Et de bonnes pommes de terre nourrissantes et réconfortantes. Bien dorées au four. Ainsi cuisiné, le plat est assez acidulé, cela twiste le goût, il ne manque qu'une bonne salade verte, et le tour est joué.

C'est également une recette facile à réaliser, abordable pour le plus grand nombre, et cela m'importait. Je veux partager une cuisine pratique, simple, de tous les jours, et pour toutes les bourses. Avec mon métier, mon parcours, je sais qu'il n'y a rien de plus terrible que de ne pas manger à sa faim. Et ce poulet a d'ailleurs la grande vertu de pouvoir être resservi froid, ou de servir de base à un bouillon du lendemain.

Alors le poulet rôti est l'emblème parfait de cette édition de *13 à table !*, pour célébrer un repas en famille, des retrouvailles entre amis après ces temps d'éloignement, le plaisir d'être ensemble, tout simplement. Une bonne tablée pour un bon moment partagé.

Je suis très attaché à la cause des Restos du Cœur, et j'ai tout de suite répondu présent quand on m'a proposé de participer cette année.

Une petite contribution pour une grande cause.

Ce recueil est une super action, c'est formidable de penser qu'acheter un livre peut fournir quatre repas. Je suis vraiment heureux d'y participer et d'apporter mon petit poulet à l'édifice. La nourriture est au centre de ma vie, j'ai la chance de vivre de ma passion, alors il est naturel, par le biais de ce recueil, de contribuer à ce que les gens dans le besoin aient une assiette moins vide ce soir.

On compte sur vous !

Agnès MARTIN-LUGAND

Le Coup de folie
des vacances

Agnès Martin-Lugand est l'auteur de neuf romans, tous salués par le public et la critique. Elle a conquis le cœur des lecteurs en France comme à l'étranger et est devenue en quelques années une des romancières préférées du public. Dès son premier roman, *Les gens heureux lisent et boivent du café*, elle a connu un immense succès. Son dernier ouvrage, *La Datcha*, a paru récemment aux Éditions Michel Lafon.

Éric m'attendait dans l'entrée, un air satisfait sur le visage. Malgré la fatigue de l'installation et des préparatifs, il arborait une mine de capitaine. Je l'avais rarement vu aussi détendu, épanoui, tout simplement. Il ne me quittait pas des yeux, prenant bien garde de dissimuler ce qu'il venait d'accrocher au mur.

— Que fabriques-tu ?

— La dernière touche… À l'instant où je l'ai prise, j'ai su quelle serait sa place…

— C'est quoi ? trépignai-je, saisie d'une impatience subite.

Depuis qu'il avait découvert le pouvoir des surprises, Éric visait toujours juste. D'un geste théâtral, il se décala. Je m'approchai, et ne pus retenir un éclat de rire devant cette photo encadrée qui racontait tout. Il se cala derrière moi pour m'enlacer.

— Elle est parfaite, déclarai-je d'une voix enrouée de rire et d'émotion mêlés.

— Je ne veux jamais oublier cette journée-là.

— Notre plus beau souvenir de vacances, et le premier d'une longue série, ici.

Éric avait pris ce selfie durant nos vacances de l'été dernier ; il était au premier plan rayonnant, j'étais à côté de lui, sautillante et hilare, Louise et Dimitri, nos enfants, derrière nous, faisaient une tête de quinze pieds, atterrés par le projet fou que nous venions de signer.

Un an plus tôt, un soir de janvier, alors que je regardais la télé, Éric débarqua bien décidé à bouleverser nos habitudes estivales. Ce qui me déconcerta immédiatement. Il n'était pas du genre à se laisser aller à la spontanéité ; avec lui, il fallait que tout soit carré, préparé, planifié. Pas de place pour l'improvisation. Depuis que nous avions créé notre famille recomposée, lui avec sa fille Louise, moi avec mon fils Dimitri, cinq ans auparavant, nous partions toujours l'été passer une quinzaine de jours dans le même club en Espagne. Ce qui me convenait parfaitement ; j'aimais ces deux semaines à mettre les pieds sous la table, à passer une partie de mes journées sur un transat, avec la juste dose d'animations pour m'amuser, sans compter que Louise et Dimitri enchaînaient les activités avec des copains, sans que nous ayons à nous soucier d'eux. Éric, lui, alternait les cours de tennis et les parties de golf. Bref, de vraies vacances à mon sens. En revanche, pour lui, cette situation devenait pesante. Sidérée, écroulée sur le canapé, je l'écoutai me présenter méticuleusement ses arguments, à croire qu'il avait préparé un exposé ; trop de monde, trop de bruit, un tourisme de masse qu'il ne supportait plus, et surtout l'impression de ne pas voir les enfants.

— Le temps passe, Sophia. Ils grandissent, ils ont dix-sept ans, il nous reste peu de temps avant qu'ils décident de partir de leur côté, avec l'argent de leurs petits boulots et surtout le plus loin possible de nous ! Ils se contenteront du minimum syndical pour ne pas nous blesser, et encore, si on a de la chance !

Je me redressai immédiatement. Il n'en fallait pas plus pour me convaincre. Avec de l'avance, j'étais atteinte du syndrome du nid vide.

— OK ! On change nos plans ! Mais que fait-on, du coup ?

— Je nous ai loué une vieille maison dans le Sud-Ouest, il y a une piscine, un immense jardin, m'annonça-t-il, triomphant. On sera tranquilles !

Intérieurement, je me décomposai. Certes, je voulais profiter de nos enfants, mais pas à n'importe quel prix. Un road trip à l'étranger aurait été davantage à mon goût. Depuis quand Éric voulait-il cohabiter avec les insectes en pleine nature ?

— Qu'en dis-tu ? insista-t-il, subitement inquiet face à mon mutisme.

Me ressaisir était impératif. Son enthousiasme me fit renoncer à parlementer, dans le vague espoir qu'il modifie ses plans. Il paraissait si heureux. Je ne supportais pas lui faire du mal, et je sentais que cette perspective lui tenait particulièrement à cœur.

— Fabuleux… Je me charge de l'annoncer aux enfants.

J'attendis d'avoir un moment en tête à tête avec eux pour leur expliquer la situation. J'eus à peine le temps de finir qu'ils se mirent à crier au scandale.

J'y étais préparée… Comment faire accepter à deux ados de dix-sept ans de s'enterrer pour les vacances au milieu des champs ?

— Maman ! Qu'est-ce qu'on va foutre pendant quinze jours paumés en pleine cambrousse ?

— Sophia, préviens-le. C'est mort, pas question que j'y aille ! renchérit Louise.

Je levai la main pour les faire taire.

— Calmez-vous, tous les deux ! Vous croyez que ça me plaît ? Non, mais vous m'avez vue…

Ils acquiescèrent d'un haussement d'épaules.

— Tu as trouvé comment le faire changer d'avis ? me demanda Louise, d'une voix chargée d'espoir.

— Non, on va le laisser aller au bout de son délire. Je vous demande de faire le sacrifice, une année. Ce n'est rien, après tout… De nous quatre, ton père, Louise, est celui qui apprécie le moins d'aller dans un club. Mais je compte bien que son séjour à la ferme lui permette de réaliser à côté de quoi il passe en Espagne !

Non sans ronchonner, ils cédèrent sans me garantir de réussir à jouer la comédie du bonheur une fois là-bas.

Avec plus ou moins de réussite, ils tinrent bon jusqu'au départ. Éric n'était pas dupe, je le compris rapidement. Il faisait exprès de chanter les louanges de ce nouveau type de vacances, pour les pousser dans leurs retranchements, pour les faire craquer. Il semblait jubiler de leur angoisse. Régulièrement, il riait face à leurs mines faussement joyeuses. Je devais reconnaître que je participais bien volontiers à ces gentilles moqueries. De mon côté, ma

nature optimiste avait repris le dessus, et m'encoura-
geait de plus en plus à l'aventure, somme toute rela-
tive. Je faisais confiance à Éric, s'il était convaincu
que nous en avions besoin, je me rangeais à son
avis. Et finalement, moi qui souhaitais qu'il lâche le
boulot, son contrôle de tout, j'étais servie...

La seule brèche chez Dimitri et Louise apparut
durant le trajet, lorsqu'on quitta l'autoroute pour
nous enfoncer dans la campagne. Ils soupiraient
bruyamment, et se plaignaient déjà du faible réseau.
Éric était imperturbable et, moi, je me réjouissais
des magnifiques paysages, en rajoutant une couche
de « comme quoi, on n'a pas besoin de partir loin ».

L'arrivée à la maison les dérida légèrement.
Le cadre joli, verdoyant, bucolique à souhait s'y
prêtait. Je m'y sentis tout de suite bien, à ma place.
Éric avait refusé de me montrer des photos pour me
réserver la surprise de la découverte de notre lieu
de villégiature. La maison de pierre dans laquelle
nous allions séjourner était charmante, digne d'un
vieux film, les murs étaient recouverts d'une glycine
luxuriante. Le salon de jardin en fer forgé avec ses
coussins aux couleurs passées par les années était
installé au milieu de la pelouse, abrité du soleil par un
imposant platane. Dimitri et Louise s'approchèrent
de l'immense piscine en mosaïque pendant qu'Éric
et moi prenions possession de l'intérieur. Nous ne
manquerions de rien. Le garde-manger et le frigo
étaient pleins, Éric avait coché l'option « courses à
l'arrivée ». Sitôt les propriétaires partis, nos ados
récupèrent leurs sacs de voyage et enfilèrent leur

maillot de bain pour un premier plongeon. Je les observai sur le seuil de la porte, souriante et étrangement sereine, l'atmosphère paisible du lieu devait y être pour beaucoup. Les mains de mon homme se glissèrent autour de ma taille, Éric reposa son visage sur mon épaule, et soupira de contentement.

— Alors ? Pas trop déçue ?

Sa voix trahit un léger doute. Je voulus qu'il disparaisse sans attendre. Et j'étais on ne peut plus sincère. Je me lovai plus étroitement contre lui.

— J'adore ! Je te promets !

Il mordilla la peau de mon cou. Je ris pour dissimuler mon trouble.

— Tu as l'air content de toi.

— Plutôt, oui…

Je me dégageai pour ancrer mon regard dans le sien. Je voulais qu'il comprenne à quel point j'étais heureuse et que je ne lui mentais pas pour lui faire plaisir. Si Éric avait saisi que les enfants n'étaient pas enthousiastes, j'avais parfaitement conscience qu'il n'avait pu que noter mon manque d'entrain. Et c'était une erreur.

— Merci, mon amour, pour cette idée, nous allons passer de merveilleuses vacances, j'en suis certaine.

Il m'embrassa profondément, mais son baiser n'était plus sensuel comme ceux disséminés sur ma nuque, il était ému, sérieux. Il y mit fin pour me serrer fort dans ses bras.

— J'avais tellement envie qu'on soit tous les quatre et qu'on forme une vraie famille, murmura-t-il.

Sa déclaration me toucha au point d'embuer mes yeux.

Après cinq jours et la digestion de la dernière surprise d'Éric – à savoir que la maison n'était équipée d'aucune box et que la 4G était une invention futuriste, dans le coin –, nous pouvions affirmer que ce séjour était une réussite incontestable. Les enfants relevaient brillamment le défi lancé de survivre sans Internet, leur orgueil parlait pour eux.

Nous nous baladions, arpentions les marchés dans les villages aux alentours, nous avions même acheté des chapeaux de paille. Nous prenions le temps pour tout ; boire un verre à la terrasse d'un troquet, lire le journal local en nous partageant les pages, cuisiner pour le plaisir et non par contrainte, prendre au hasard un livre corné et jauni qui traînait sur les étagères du couloir de l'étage. Louise et moi lézardions dans des transats l'après-midi ; je papotais avec elle de trucs de filles, de trucs qu'elle n'aurait jamais confiés à son père. Éric et Dimi n'étaient pas en reste, partageant des moments comme jamais ils ne l'avaient fait jusque-là, ils partaient faire du vélo, enchaînaient les longueurs dans la piscine, se penchaient ensemble sur les cartes de la région à la recherche d'une visite, d'une rando. J'avais le sentiment de découvrir enfin « ma belle-fille », et je sentais qu'il en était de même entre Éric et mon fils. Chaque soir, le jardin résonnait de leurs fous rires, lorsqu'ils s'acharnaient à allumer le barbecue datant d'un autre siècle. Après dîner, entre deux attaques de moustiques et après avoir allumé les bougies à la citronnelle, nous sortions les vieux jeux de société du buffet de la salle à manger, sans jamais finir aucune partie, les conversations sur tout et n'importe

quoi nous en éloignant chaque fois. Nous nous cou-
chions tôt. Pour notre plus grand plaisir, la chambre
parentale était à l'opposé de celles des enfants. Nous
faisions l'amour, les fenêtres ouvertes, accompagnés
par les bruits de la nuit et de la nature, dans la
chaleur accumulée dans la journée. Jamais je n'avais
connu un tel plaisir, une telle sérénité durant nos
vacances, je me reposais, heureuse, avec le souhait
que cela dure le plus longtemps possible.

Comme chaque matin, le coq nous réveilla au
lever du soleil, nous étions tellement en paix que
nous nous rendormirions peu de temps après.
Je ronronnai contre le torse d'Éric pendant qu'il me
caressait délicatement.

— Qu'est-ce qu'on est bien, ici ! Jamais je n'aurais
pu imaginer ça, c'est le paradis…

— Je suis bien d'accord avec toi, j'espérais que
ce serait merveilleux, mais pas à ce point…

— Plus de club ! On recommencera l'année prochaine, et toutes celles d'après…

— C'est ce que je souhaite, moi aussi…

Le sommeil nous ressaisit sur ces derniers mots.

Partis en vadrouille pour la journée, nous avions
visité un village médiéval, puis déjeuné dans un restaurant simple, mais délicieux et chaleureux. Les
enfants trouvant le temps long, Louise réussit à
convaincre Dimi de faire une virée shopping dans les
rares boutiques touristiques des ruelles. Les restaura-
teurs nous servirent une rincette de vin, rapidement
suivie par le café maison – espresso agrémenté par la
gnôle du coin –, et nous eûmes droit à deux autres

tournées. Nous riions, nous discutions avec tout le monde, nous étions bien, comme si nous devions être à cet endroit, précisément. Nos regards échangés trahissaient une forme d'évidence surprenante à notre présence. Quand les enfants vinrent nous récupérer, nous étions particulièrement gais. Gais comme lorsqu'on est en vacances, lorsqu'on lâche prise et qu'on est bien, tout simplement.

Sur la route du retour, Éric roulait lentement, en mode conduite pépère, nous n'étions pressés de rien et il s'en donnait à cœur joie. Je gloussai telle une ado, penchant ma tête sur son épaule, et nous chantions en duo les tubes ringards diffusés à la radio. Louise et Dimitri riaient à s'en étouffer du spectacle que nous leur offrions, ils n'en revenaient pas que nous soyons capables de nous comporter de cette manière. Nous sentions à leurs voix qu'ils étaient tout aussi heureux que nous. Nos enfants se faisaient surprendre eux aussi par la magie de ces vacances. Si tant est que ce soit possible, Éric ralentit encore. Interloquée, je suivis son regard. Les yeux plissés, il fixait une pancarte qu'il dépassa trop vite, malgré tout, pour que je puisse la lire.

— Demi-tour ! brailla-t-il.

Il s'exécuta et bifurqua sur un petit chemin indiquant un lieu-dit. La voiture grimpa sur une route sinueuse au milieu des arbres. Les enfants nous demandaient ce qui se passait, je n'avais rien à répondre.

— Je veux voir un truc, nous répondit Éric, d'une voix assurée mais excitée.

Il se gara devant un grand portail.

— Ne bougez pas, je reviens.

Il m'embrassa et nous laissa, sans plus d'explications. En moins de deux minutes, il disparut à l'intérieur de la propriété. La chaleur de four dans la voiture nous obligea à sortir prendre l'air. Nous étions en haut d'une petite colline arborée qui surplombait la vallée. On distinguait au loin un vieux village. Une demi-heure plus tard, Éric revint, un immense sourire aux lèvres.

— Louise, Dimi, il y a un peu de 4G sur le chemin, faites-vous plaisir. J'ai quelque chose à montrer à Sophia.

Ils réagirent au quart de tour, nous oublièrent dans la seconde et filèrent vers le lieu de la libération. Éric m'attrapa par la main et m'entraîna à sa suite. Je découvris enfin ce qui se cachait derrière le portail. Une vieille bergerie, pas loin d'être en ruine, dont les propriétaires âgés m'accueillirent les bras ouverts ; ils invitèrent Éric à me faire visiter. Nous fîmes le tour de la maison, spartiate, rustique, datant d'un autre temps, mais son charme indéniable éclipsait la tuyauterie usée et les peintures écaillées. Ensuite, nous visitâmes le jardin, le potager avec ses plants de tomates et ses fruitiers. À ma plus grande surprise, je découvris une piscine, pas de prime jeunesse non plus, mais qui avait le mérite de garantir un rafraîchissement bienvenu.

— Ils l'ont construite pour leurs petits-enfants, il y a plus de trente ans, répondit-il à mes interrogations muettes.

Je m'arrêtai net, ne comprenant vraiment pas ce que nous faisions là.

— Que se passe-t-il, Éric ? Tu veux bien me dire à quoi ça rime ? Pourquoi dérange-t-on ces gens ?

— On ne peut pas parler en plein cagnard, viens. Il me tira jusqu'à la terrasse ombragée.

— C'est toi qui en général as des coups de folie, mais là, tu vois, c'est moi...

Ses yeux brillaient, lui toujours maître de ses émotions gesticulait, et n'arrivait pas à tenir en place. Je devais reconnaître que ça lui allait bien, de se laisser embarquer. Mais par quoi ?

— De quoi parles-tu ?

— Cette maison est à vendre, Sophia, et je voudrais qu'on l'achète.

— Quoi ? hurlai-je. Tu es devenu fou...

Il mit délicatement une main sur ma bouche pour me faire taire. D'un mouvement de tête, il fit glisser ses lunettes de soleil sur son nez. Il ancra son regard dans le mien, un regard déterminé, et si joyeux.

— Je veux une maison à nous, une maison pour notre famille. Une maison de famille.

Je me dégageai pour pouvoir lui répondre.

— Mais on en a déjà une !

Il sourit plus largement encore.

— Non, on la loue... tu te souviens ? Quand on a décidé de vivre ensemble, j'ai préféré par précaution qu'on loue et on s'est enfermés là-dedans au point de l'oublier.

— C'est vrai, chuchotai-je.

Il avait raison, nous n'avions encore rien construit tous les deux. Inimaginable, maintenant que je le réalisais.

— La maison de vacances, reprit-il, il n'y a rien de plus beau... Pense à Dimitri et Louise, ils pourraient venir ici, avec leurs copains, et plus tard leurs enfants. Ça ne te plairait pas d'avoir nos petits-enfants ici, avec nous ?

Je ris à sa dernière remarque.

— Eh ! Tu vas un peu vite, non ?

— Non, je rêve à notre avenir, nos vieux jours ensemble… et je suis heureux, ici… pas toi ?

— Si…

L'envie me saisit furieusement, je voulais qu'on ait cette maison brinquebalante, qu'on y passe nos vacances, qu'on y vieillisse.

Louise et Dimi, grâce à leurs retrouvailles avec le monde moderne, n'avaient pas vu le temps passer. Lorsqu'on repartit, ils étaient tellement dans le partage des nouvelles de leurs copains respectifs qu'ils ne nous posèrent aucune question ni ne remarquèrent notre heureuse fébrilité. Éric et moi essayâmes de faire comme si de rien n'était durant toute la soirée, mais il nous était bien difficile de ne pas échanger de longs regards pleins d'espoir, pleins d'amour. À tel point que les enfants durent se sentir de trop, ils décidèrent d'aller se coucher encore plus tôt que d'habitude. On attendit d'être certains qu'ils soient éloignés dans leur chambre avant de repartir dans notre projet totalement fou.

— Alors ? me demanda Éric.

— Je n'arrête pas d'y penser… On en a les moyens ? On peut se le permettre ?

C'était ma seule crainte. Toucher le rêve du bout des doigts et que la réalité nous rattrape. Ce qui n'aurait rien eu d'étonnant. On n'achète pas une maison sur un coup de folie. Quoique... Il eut un léger sourire en coin.

— Je crois bien...

J'écarquillai les yeux, en quête de davantage de réponses. Éric, depuis que nous avions quitté la maison, avait commencé à calculer dans sa tête, allant même jusqu'à inclure une enveloppe pour les travaux les plus urgents. Nous avions l'un et l'autre de l'argent de côté que nous pouvions utiliser pour nous lancer. Ne nous restait plus qu'à réfléchir et trancher. Ce n'était pas à cette heure-là que nous réussirions. Nous nous convainquîmes que, après une bonne nuit de sommeil, nous aurions les idées plus claires... Si à notre réveil le lendemain nous étions toujours dans le même état d'esprit, nous passerions à l'action.

Le sommeil nous fit défaut, bien évidemment. La trouille de commettre une erreur plus grosse que nous deux réunis nous réveillait en sursaut. Quand ce n'était pas l'un, c'était l'autre. Nous avions tout aussi conscience que nous le regretterions toute notre vie si nous étions trop timorés. Au cœur de la nuit, après une énième conversation à voix basse, Éric trouva l'argument imparable pour nous apaiser.

— Au pire, si on regrette, on revend !

— À condition qu'on trouve d'autres pigeons que nous pour l'acheter...

C'est en riant que l'on finit par sombrer.

À notre réveil, ni Éric ni moi n'étions prêts à oublier la maison. Il fallait contacter au plus vite notre notaire et la banque. Pour cela, nous avions besoin d'un réseau téléphonique digne de ce nom.

— Je vais chercher des croissants au village ! m'annonça Éric en bondissant du lit. J'en profiterai pour appeler.

En deux minutes, il sauta dans son bermuda, enfila un tee-shirt et ses lunettes de soleil. Il déposa un baiser rapide sur mes lèvres.

— Rendors-toi, je risque d'en avoir pour un moment ! Compte sur moi, je vais tout faire pour qu'on y arrive. J'ai trop peur de laisser filer cette occasion pour nous deux...

Je m'enroulai dans le drap. Avant de partir, Éric annonça à Dimi et Louise, déjà réveillés, que je faisais la grasse matinée – ce qui ne les étonna pas – et qu'il s'occupait du petit déjeuner. Ils ne boudèrent pas leur plaisir, à en juger par le bruit lointain de leurs portes refermées.

Je ris légèrement. Comment pouvait-il imaginer une seule seconde que je trouverais de nouveau le sommeil ? Étrangement, l'angoisse de ce grand saut dans le vide ne me saisissait pas. J'étais envahie par une émotion différente, celle de l'engagement qui rassure, qui apaise tout en mettant des étoiles dans les yeux. Nos vies à Éric et moi allaient être encore plus liées. Indissociables. Cette maison, comme il me l'avait dit, serait à nous deux. Nous deux en tant que couple. Je n'avais jamais réfléchi à la question jusque-là, j'avais plutôt tendance à paniquer à propos du quotidien le plus prosaïque. J'avais arrêté depuis quelque temps de craindre à chaque instant qu'il me quitte, après avoir compris que mes défauts, bien loin de lui déplaire, le charmaient. Il faut croire que je me contentais de cela, à moins que j'aie préféré éviter de me torturer en pensant que rien ne nous liait officiellement. Si nous arrivions à acheter cette maison de vacances, notre couple allait prendre une nouvelle dimension. Nous allions nous créer notre paradis...

Je préparais le café lorsque j'entendis la voiture se garer dans la cour. Je lâchai tout et courus rejoindre Éric. Je m'arrêtai net à quelques mètres de lui. Nos regards se croisèrent, et un immense sourire se dessina sur son visage. Je repris ma course folle et sautai dans ses bras, qu'il referma sans tarder sur moi. Il me fit tournoyer dans les airs. J'avais ma réponse. La plus belle qu'il pouvait me donner.

— Je n'en reviens pas ! Je n'en reviens pas ! répétai-je.

— On a rendez-vous chez les propriétaires pour signer le compromis. Leur notaire se rend disponible dès aujourd'hui.

— Serais-tu en train de m'annoncer que nous sommes les parfaits pigeons ?

On rit comme des enfants.

Un an plus tard, nous étions devant la photo prise par Éric juste après la signature du compromis de vente. À cet instant, les enfants n'avaient pas encore digéré l'information, ils nous en voulaient « à mort » de leur infliger un coup pareil. D'où leurs têtes boudeuses sur le papier glacé en comparaison de notre bonheur immodéré. Depuis, ils avaient changé d'avis. Nous ne l'aurions jamais cru, mais c'était grâce à leurs copains qui avaient vu d'un très bon œil le fait qu'ils aient désormais une maison de vacances avec piscine. Rien que pour les rendre heureux, nous étions prêts à leur filer les clés bien volontiers, à condition que nous y ayons encore accès de temps en temps.

Éric soupira de contentement dans mon cou, sans cesser de fixer cette belle image de nous quatre.

— Tout le monde nous attend, murmura-t-il.

— Je sais…

Nous avions décidé de pendre la crémaillère en invitant nos amis et ceux des enfants à l'occasion de ce premier été. Toutes les chambres étaient occupées, et des tentes étaient disséminées dans les coins ombragés du jardin. Dimitri et Louise, souriants cette fois-ci, vinrent nous chercher.

— Elle est trop moche, cette photo, commenta la fille d'Éric. Pourquoi tu l'as accrochée ici ? Tout le monde va la voir !

— Elle est superbe, lui rétorqua son père en déposant un baiser dans ses cheveux.

— Vous verrez, renchéris-je, dans quelques années, vous vous battrez pour l'avoir…

— Mais maman, m'interrompit mon fils, plus de surprises, vous vous calmez, maintenant !

Louise éclata de rire et l'attrapa par le bras.

— Prépare-toi, la prochaine étape, c'est le mariage ! lui annonça-t-elle.

Ils éclatèrent de rire et nous plantèrent là. Éric et moi nous regardâmes comme deux idiots, à la limite de rougir.

— On oublie ? me proposa-t-il.

— Bien sûr, on oublie ! lui répondis-je d'une voix trop perchée.

Il eut ce sourire en coin que j'adorais. Mais qui à cet instant me troubla profondément. Il s'approcha, m'embrassa du bout des lèvres et murmura contre ma bouche :

— Ou pas…

Sans me laisser le temps de réagir ni même de réaliser, il s'éloigna, puis s'arrêta et me tendit la main pour m'inviter à rejoindre la fête. Celle qui liait notre plus beau souvenir à notre avenir.

Étienne DE MONTETY

La Nuit de Juillet

Journaliste et écrivain, Étienne de Montety dirige le *Figaro Littéraire*. Il est l'auteur de plusieurs romans et a reçu de nombreux prix, dont le Prix des Deux Magots et le Prix Jean-Freustié. Récemment, il a reçu le Grand Prix de l'Académie française pour son ouvrage *La Grande Épreuve* paru aux Éditions Stock.

> « A-t-il fait nuit si parfaitement nuit jamais
> Où sont partis Musset ta Muse et tes hantises »
>
> Louis Aragon, « La nuit de mai »

L'été est venu avant même la fin des examens.
Les derniers oraux, Hélène les a révisés dans le
jardin de ses parents, qui habitent en banlieue une
grande maison entourée d'arbres aux feuilles vertes
et pourpres. Le droit civil, l'histoire des institutions
sont plus aimables sous le soleil de juin, en short et
en tee-shirt. Hélène aime bien ce moment de l'année,
ces quelques semaines avant les vacances, quand les
études prennent un air estival. Dalloz et lunettes
noires, c'est une association qui lui convient bien.

Hélène est brune, ses cheveux sont pris dans un
chouchou ou un bandeau de couleur chaque jour
différent. La nature lui a donné une peau mate. Dès
les premières révisions, le bronzage est vite apparu.
Jambes, bras, visage, épaules, le hâle est là, qui met
en valeur ses yeux verts. Pour le reste, elle verra ça

plus tard, quand elle sera libérée. Après des mois cachée sous un jean et un pull, sa peau demande de la lumière. Où passera-t-elle l'été ? Elle ne le sait pas encore. Elle a un peu de temps pour se décider.

Hélène a trouvé un job d'été : elle tient une petite librairie d'occasion du 6e arrondissement. Tous les matins, elle sort des caisses de livres à 1 franc qu'elle pose sur des tréteaux. Sa marchandise est un reflet de la vie littéraire française. Les best-sellers échouent immanquablement chez elle. Paul-Loup Sulitzer, Patrick Segal, Frédérique Hébrard, Élisabeth Barbier. Quand le temps s'y prête, elle s'assied dans un fauteuil de toile, sur le seuil de la boutique, lisant ou observant le spectacle des clients. Celui-ci, que peut-il lire ? C'est un prof, à n'en pas douter... des prix Goncourt, alors... La littérature n'est pas une science exacte et elle prend en souriant le livre que l'homme lui tend pour payer. Stephen King. Elle ne l'aurait pas parié. C'est les vacances pour tout le monde...

Quand Baptiste s'est arrêté devant ses étals, elle n'a pas tout de suite relevé le nez. C'est avec sa voix qu'elle a d'abord fait connaissance. Une voix enjouée, presque insolente.

— Vous avez des Françoise Sagan ?

Un garçon en boucles blondes vêtu d'une salopette se tient devant elle. Ses mains calleuses, abîmées par le travail, contrastent avec son visage juvénile.

— Je dois en avoir à l'intérieur. Je vais vous les chercher.

Elle est revenue avec quelques titres, *Des bleus à l'âme*, *Le Garde du cœur*, *La Femme fardée*.

— Cherchez bien, il doit aussi y avoir des poches (elle désigne un étal). Vous aimez Sagan ?

— Je viens d'en lire un. J'ai envie de continuer.

Il a sorti de la poche de sa salopette un exemplaire sali.

— Je travaille là-haut. (Son bras montre l'immeuble voisin.) En cette saison, c'est très sympa. Vous verriez la vue qu'on a... Tout Paris d'un seul coup d'œil.

Hélène regarde le garçon en souriant. Son enthousiasme est contagieux.

— Les toits, c'est le meilleur endroit pour regarder une ville et pour l'aimer. Je vous jure.

— Vous n'avez pas besoin, je vous crois.

— Il y a des toits en zinc, des toits d'ardoise, et puis des cheminées et des jardins. C'est un paysage. Et puis c'est fou, ce qui se passe sur les toits.

— En tout cas, vous en parlez bien...

— Si vous voulez, je vous emmènerai.

— Je ferme à 19 heures.

— Alors on dînera là-haut. Enfin, un soir où la France ne joue pas...

— Ah, le foot...

— Vous n'aimez pas...

— Moins que vous, apparemment...

— Pour une fois qu'on a une chance.

La France a contracté le virus du football. Ça remonte précisément au printemps 1976, quand l'équipe de Saint-Étienne a brillé en Coupe d'Europe, battue en finale par le Bayern de Munich. Les Français se sont réveillés d'un long sommeil : leurs joueurs ne sont pas condamnés aux défaites. Cette année, c'est la Coupe du monde en Espagne,

et l'équipe de France est à son meilleur. Ça fait longtemps. 1958 pour être précis. Le père d'Hélène en
parle avec flamme, la même que celle qui anime
son fils quand il égrène les noms de la bande à
Hidalgo. L'un a vibré pour l'épopée du stade de
Reims, Kopa, Fontaine… L'autre s'époumone pour
Platini, Giresse, Battiston. Mais c'est la même ferveur qui métamorphose un respectable cadre, un
lycéen paisible en un supporter passionné, éperdu,
injuste.

La semaine suivante, Hélène a suivi Baptiste.
Ils sont montés au dernier étage d'un immeuble.
Le vasistas donne sur une vaste surface en zinc.
Il suffit de se hisser. Le chantier de Baptiste s'étale,
plaques en cours de découpe, marteau, tire-clous,
pince, griffe, guillotine. Il nomme tous les outils.

— Suivez-moi.

La succession de toits forme un parcours acci-
denté. Tantôt il faut grimper au moyen d'une échelle,
tantôt redescendre, entre deux cheminées. Baptiste
se déplace avec agilité, Hélène sur ses talons, pas
très assurée, mais ne voulant rien en montrer.

Les voilà arrivés au bord. Au-dessous, c'est l'avenue. Hélène a peur d'avoir le vertige. Baptiste fait
comme s'il était sur la terre ferme, esquissant un
pas de danse.

— Regarde.

Il faut regarder au loin, le spectacle est magnifique,
avec la Seine en flamme dans le soleil couchant, se
coulant entre les immeubles le long des quais.

— Voilà pourquoi je fais ce métier.

— Mais quand il pleut, il neige…

— Alors on reste chez soi, avec des images comme celle-ci en mémoire.

Baptiste a raison. D'en haut, la ville offre un autre visage, les distances semblent différentes, la taille des monuments aussi. Paris est un jardin de zinc d'où émergent la tour Eiffel, la tour Montparnasse et le Sacré-Cœur. Et puis des dômes luisants, les Invalides, le Val-de-Grâce ; et celui-ci ?

— Saint-Augustin. J'ai travaillé dessus.

— Ça fait longtemps que vous… que tu travailles ?

Autour d'un verre de bourgueil, Baptiste lui raconte : après son bac, il a commencé un BTS Force de vente. Mais très vite, les matières, le jargon des profs, la forfanterie des élèves l'ont amené à renoncer. Un jour, il a avisé des ouvriers en train de s'affairer autour d'une camionnette où il était écrit « Réfection de toitures ».

— Toitures, le mot a été un déclic. Je me suis vu au grand air, sans murs, sans personne au-dessus de moi. J'ai abordé l'homme le plus âgé, c'était le patron. Le lendemain, je commençais. Au début je passais les outils, je montais les sandwichs. Puis j'ai appris le métier avec eux…

— Maintenant tu peux même lire pendant les pauses.

— Oui, je m'y suis remis, depuis que je fais ce métier. L'an passé, j'ai lu tout Simenon. Enfin tout… tout ce que j'ai pu trouver de lui…

La nuit est douce, une de ces nuits d'Île-de-France pas si fréquentes dans une année, où la chaleur résiste à l'heure qui avance, où les jolies femmes ont un teint de pêche sous la lumière des réverbères, et rechignent à mettre leur pull sur leurs épaules dorées.

— On se revoit quand ?

— Quand il n'y a pas de match, tu m'as dit…

— Il y a des exceptions. Je ne suis pas sûr de regarder Chili-Autriche demain soir…

— Demain soir, je ne suis pas libre…

— Alors à bientôt, je passerai à la librairie…

Hélène est partie en lui faisant un petit signe de la main par-dessus son épaule, et ce geste gracieux a conquis Baptiste.

Le dimanche, la librairie ferme à 15 heures. Trop tard pour qu'Hélène se rende chez ses parents. Alors elle passe l'après-midi à flâner dans Paris. Elle est vêtue d'un corsaire rouge et d'un polo rayé ras du cou qui la font ressembler à un marin de gravure de mode. Elle porte des ballerines qui lui donnent une démarche légère de danseuse. La journée est magnifique. Elle laisse ses pas la guider. Ils la conduisent sur les quais de Seine. La jeune fille a acheté un kilo de cerises. Assise en tailleur sur les pavés disjoints du quai, elle tient le sac de cerises d'une main et picore de l'autre. Sur ses genoux, un livre. Mais sa principale activité consiste à jeter les noyaux dans l'eau, avec un air préoccupé : les noyaux, est-ce que ça flotte ? Et est-ce bon pour les poissons de la Seine ?

— Excusez-moi, mademoiselle…

Le garçon a un accent étranger. Allemand, probablement. En cette fin de XXe siècle, un jeune

Français n'aborderait jamais une fille en l'appelant « mademoiselle ». Ça ne se fait plus depuis au moins quinze ans.

— Vous permettez que je vous prenne en photo ? quand vous regardez l'eau…

— Je ne sais pas… Je n'aime guère…

— Je me permets d'insister… la pierre, la lumière, votre vêtement, pour moi, le tableau est parfait… Vous voulez bien ?

Il est courtois. Hélène se laisse faire. Le jeune photographe s'agite autour d'elle… il est plongé dans le réglage de son appareil, change d'endroit, observe la lumière, règle de nouveau.

— Comme ça, c'est bien. Sans les cerises, maintenant… Prenez le livre ; plus haut, s'il vous plaît, là comme ça, c'est parfait… Vous pouvez reprendre les cerises ? Lancez un noyau, j'aime bien le geste de la main. Non c'était mieux avant… Prenez carrément une poignée, et jetez-la. Le geste auguste du semeur, c'est comme ça que vous dites ?

Elle n'a pas le temps de s'agacer de cette succession d'ordres. Il se rapproche d'elle, tout près. Elle voit soudain son visage qui se décale de l'appareil et lui adresse un sourire d'un air complice, elle le lui rend, amusée, et entend un déclenchement en rafale.

— J'ai fini de vous torturer…

— Comme c'est compliqué de prendre une photo, lui a lancé Hélène.

— C'est qu'un bon photographe recherche sans cesse l'instant magique.

— L'instant magique, c'est joli, comme expression.

— Oui. On se prépare tous à accueillir ce moment inattendu : quand la lumière est impeccable, le décor sans rien qui cloche… le modèle gracieux…

— Et vous l'avez trouvé un jour ?

— Ce n'est pas impossible…

Il lui a dit au revoir, ajoutant : « Je ne veux pas être importun… » Hélène a repris son livre en pensant qu'il n'y a qu'un étranger pour utiliser ce mot. Un Français aurait dit « lourd », et même « *relou* ». Elle se plonge dans sa lecture, un court roman de Stefan Zweig, facile à emporter, facile à lire. La prose fluide de l'écrivain, son analyse délicate des sentiments humains conviennent parfaitement à cette heure de la journée, entre sieste et bain de soleil. *C'est ça, pour moi, l'instant magique*, se dit-elle en savourant le soleil à travers les branches d'un saule qui fait d'un quai de Seine une berge à la campagne.

— Vos cerises, mademoiselle…

Il est devant elle, un sac à la main.

— Je vous ai obligée à les manger, comment dites-vous, « à toute berzingue ». Celles-ci seront pour votre goûter.

— C'est très gentil, mais je ne mangerai jamais tout ça toute seule… Vous allez m'accompagner.

Ils picorent dans le sac à tour de rôle. Manfred lui raconte qu'il est à Paris pour les vacances, s'adonnant à sa passion pour la photo. Il lui montre son appareil, comment zoomer, dézoomer, régler la vitesse d'obturation. Il s'est levé d'un bond et lui explique :

— Je prends un portrait de vous… Gros plan, plan large… je cherche la meilleure composition possible. Attention à la mise au point. Vous au premier plan, et derrière la Seine, et plus loin encore le Louvre.

Son visage surgit de derrière l'appareil, comme la première fois, de droite, de gauche, comme un lutin sortant de sa boîte. Hélène rit.

— Pourquoi bougez-vous comme ça ?

— Ça surprend le modèle et ça crée de très jolies expressions, des sourires. C'est pour moi très… très intéressant… C'est comme ça qu'on dit ?

Manfred parle français avec application, comme il règle son appareil. Il utilise des tournures apprêtées, celles de son manuel scolaire. Il dit « grands dieux », ou « chat échaudé craint l'eau froide » et, devant l'air d'Hélène, mi-étonné, mi-amusé, se récrie :

— On dit ça, non ?

— Oui : ma grand-mère…

Il lui tend la main pour l'aider à se relever. Elle regarde ce garçon mince et élégant, portant une fine moustache, pas vraiment à la mode à Paris, mais qui lui va très bien. Avec lui, elle fait l'expérience de la délicatesse masculine, une attention peu fréquente chez les garçons de sa génération. Elle se découvre sensible à ce comportement.

Pourquoi Hélène a-t-elle parlé de sa grand-mère à Manfred ? S'il savait… Elle est de la génération qui a connu deux guerres. Élevée dans l'esprit de la « revanche », elle sait encore chanter par cœur « Vous n'aurez pas l'Alsace et la Lorraine ». À l'heure de la construction européenne, elle parle des « Boches ». Horreur !

« Pas Boches, grand-mère, Allemands… La guerre est finie… On tourne la page.

— Je n'ai rien contre eux, ma chérie. Mais tu ne peux pas comprendre... Ton grand-père était prisonnier. Cinq ans, ça a duré. J'étais toute seule avec les enfants... Ton père avait quoi, huit ans ? Quand les... quand ils sont arrivés, ils ont réquisitionné la maison. À cause de sa situation. Alors j'ai été obligée de m'installer avec les enfants dans la maison anciennement du cocher. Ça m'a fait mal au cœur...

— C'est du passé, tout ça...

— Moi je n'ai pas oublié. Tous les jours je les ai vus. Les tables et les chaises du salon sorties pour déjeuner dehors, les verres en cristal pour boire leurs bières. Les bouteilles vides dans les plates-bandes. Et leurs noms écrits au crayon gras sur les portes des chambres... Ah non ! »

— À quoi pensez-vous ?

Manfred sort Hélène de sa rêverie.

— À rien... enfin si... à ma grand-mère qui a insisté pour que je fasse anglais première langue. Pourtant, en France, les bons élèves prennent allemand...

— Alors vous parlez bien anglais ?

Elle secoue la tête... elle n'est pas douée pour les langues. Le français lui suffit puisqu'il lui permet de lire Ronsard, Musset, et Tristan Corbière. Heureusement, Manfred parle français. En sa compagnie, Hélène se promène dans Paris différemment. Il est curieux. Est-ce la curiosité du touriste, celle du photographe, ou tout simplement celle d'un garçon vif et précis ? Ils empruntent plus d'un passage caché, une cour pavée, encombrée par des herbes ou une glycine, découvrent une façade, autant de jolies choses qu'Hélène n'aurait pas remarquées sans lui.

C'est la fête de la Musique, un événement imaginé pour célébrer l'arrivée de l'été : le 21 juin, dès le début de l'après-midi, pas un trottoir, un coin de rue, une terrasse qui ne soient occupés par un orchestre, un guitariste, un ensemble vocal. Hélène se promène près de l'Odéon, passant d'un groupe à l'autre. La qualité est inégale mais chacun met de la gaieté dans la ville. Ce soir-là, tous les Français ont du talent, ils chantent, ils dansent. Rue de Buci, un poste de télévision est sorti sur une table. En Espagne, la Coupe du monde se poursuit. Ils sont onze à affronter l'équipe du Koweït, à ce jour inconnue de la planète football. Pour les Bleus, c'est un match facile où les buts se succèdent, parfois refusés par l'arbitre sous des prétextes étranges. La journée est faste. À la nuit tombée, il ne restera plus qu'à allumer les feux de la Saint-Jean, en signe de victoire, et les amoureux sauteront par-dessus. Au quatrième but marqué par les Français, les joueurs koweïtiens protestent. Un coup de sifflet venu des tribunes leur a fait croire que l'arbitre sanctionnait un hors-jeu. De bonne foi, ils se sont arrêtés. Soudain, un homme pénètre sur le terrain. C'est le président de la fédération du Koweït, en djellaba et keffieh. Il parlemente et obtient de l'arbitre que le but soit refusé. Autour d'Hélène, c'est la bronca. Quelle comédie ! De quoi se mêle-t-il, celui-là ? Quelle injustice ! Heureusement, le score final assure une large victoire aux Français.

— C'est ça, le football ? demande Hélène à Baptiste.

— Non ! Ce sont aussi les coups francs d'orfèvre en pleine lucarne signés Genghini qui obligent les défenseurs à se placer à chaque poteau. Les ouvertures de Platini, les chevauchées de Six et Rocheteau.

— Tu parles d'eux comme un fan de Napoléon de ses maréchaux.

— C'est l'épopée de notre temps.

— Je n'y comprends rien. Le hors-jeu, l'avantage…

Elle sait que son père aime à citer Camus : « Tout ce que je sais de plus sûr à propos de la moralité et des obligations des hommes, c'est au football que je le dois. » Une phrase comme ça, ça anoblit tout de suite le sujet. Camus se serait-il trompé ? Elle ne sait pas, mais l'enthousiasme de Baptiste l'amuse. Il l'a emmenée une nouvelle fois sur un toit où il a travaillé quelques mois plus tôt. Il la précède, grimpant sur un rebord en zinc, puis sautant en contrebas, agile comme un chat. Deux transats sont disposés devant une fenêtre ouverte.

— Tu vois, nous ne sommes pas les seuls habitants…

Il s'est élancé vers une cheminée, qu'il a atteinte en une traction et un rétablissement. Le voici dressé, telle une statue de la Liberté dans le crépuscule qui n'en finit pas de descendre sur la ville. Il esquisse un pas de danse et entonne :

— « Je n'm'enfuis pas, je vole, / Comprenez bien, je vole / Sans fumée, sans alcool / Je vole, je vole… »

Hélène bat des mains.

— Plus difficile encore !

Baptiste s'est mis sur les mains, elle voit son corps se déployer dans le ciel, ses jambes s'étirer. D'où elle est, elle a l'impression qu'il est sur un socle étroit au bord du vide. Quand il a trouvé son équilibre, elle l'entend qui continue de chanter « Je vole, je vole », avant de se replier.

Elle commence à s'habituer à cet environnement insolite qu'est un toit, mais qui va bien à la fantaisie de Baptiste. Elle a sorti de son panier en osier une nappe à carreaux qui lui sert quand elle pique-nique sur les pelouses des Invalides et a disposé le couvert. Elle a acheté du pain, de la charcuterie et du fromage. Baptiste est descendu de la cheminée, d'un bond. Elle lui tend deux bougies. Le garçon sort son briquet et, d'un rapide aller et retour sur son jean, l'ouvre et en fait jaillir la flamme.

— Comment tu fais ?

Baptiste referme le capuchon. Nouvel aller et retour, clic, clac, et nouvelle flamme. Hélène essaiera souvent, toujours en vain. Son geste manque-t-il d'énergie ? La toile de son pantalon ne s'y prête-t-elle pas ? Elle a peur de la râper. Le briquet magique reste le secret de Baptiste.

— Tu n'as jamais le vertige ?

— Non. Tu sais, c'est psychologique. On n'est pas plus en danger ici que sur un trottoir.

Sur le chemin de retour, il la précède et lui tend la main pour franchir les passages difficiles. Il semble à Hélène qu'il la saisit avec douceur et que, pour un peu, il la garderait dans la sienne pendant toute la descente. Il lui semble aussi que cela ne lui serait pas désagréable.

— Rejoignez-moi à 5 h 30, a dit Manfred.

Les raisons de ce réveil matinal sont simples : le jeune homme voudrait effectuer une série de photos prises du même endroit à plusieurs moments de la journée. Il va installer son trépied devant les grilles du Luxembourg.

— Vous comprenez, le lieu sera identique, mais pas les passants ni la lumière. Je veux être là de l'aube jusqu'à la nuit.

— Vous allez rester vingt-quatre heures d'affilée sans bouger ? Et vous voulez que je vous tienne compagnie, c'est ça ?

— Non, je voudrais que vous soyez – fussiez ? comment on dit ? – que vous soyez le fil conducteur de la série. Mettez votre pantalon rouge – couleur cerise. Vous serez mon *rosebud*...

— Mon quoi ?

— Vous n'avez pas vu *Citizen Kane* ?

— Tu n'as pas envie qu'on se tutoie ? Si on ne le fait pas maintenant, on ne le fera jamais.

— Si vous voulez...

— Tu ne m'aides pas...

Manfred ne ressemble à personne. Il pose sur le monde un regard insolite qui enchante Hélène. C'est donc avec entrain qu'elle s'est levée aux aurores, et a revêtu son corsaire. Manfred est déjà sur place, cherchant le meilleur endroit pour installer son trépied.

— Tu as trouvé des viennoiseries ? Les boulangeries ne sont pas encore ouvertes à cette heure, si ?

— Non, mais les boulangers travaillent depuis longtemps. Je suis passé par-derrière et j'ai acheté des croissants encore brûlants. Ils sortent du four.

S'il vous plaît, pouvez-vous aller et venir ? Je dois régler la vitesse de l'obturateur...

Le gris de l'aube tarde à se dissiper. Peut-être que cette matinée ne sera pas aussi belle que celle des jours précédents. Les rues sont fraîches, les balayeuses sont passées un peu plus tôt. Cette journée est une promesse. Hélène en est sûre, avalant un peu d'un café qui lui réchauffe délicieusement la gorge, adossée aux grilles.

— Vous y allez ?

— Tu, Manfred, tu.

— Tu y vas !

Elle arpente le trottoir, essayant de prendre un air naturel, sans regarder le garçon qui s'affaire derrière son appareil. Surtout ne pas prendre la démarche d'un mannequin sur un podium. Ni celle d'une tapineuse. Elle s'arrête, tire de son sac son Zweig et entreprend de le lire. Elle le tient d'une main devant elle, ouvert dans sa paume.

— C'est vraiment bien, ça. Maintenant, marchez... Marche...

Le soir, Hélène est sur les toits avec Baptiste. Le lendemain matin avec Manfred pour une séance photo. Les deux lui apportent de l'insolite, de la gentillesse et de la fantaisie. Grâce à eux, les clients peuvent être rares, les garçons de café pénibles, la journée aura une saveur inaltérable. Elle n'a pas parlé à l'un de l'autre, et se demande pourquoi. C'est sa liberté de femme. Elle a envie de rire pleinement devant les audaces de Baptiste, et de se passionner pour les idées de Manfred. Pourquoi les partager ? Pourquoi choisir ? Personne ne le lui demande, d'ailleurs. Baptiste ne lui a pas dit de le rejoindre à l'aube, ni Manfred de lui accorder ses soirées. Elle aime leur compagnie à tous les deux, comme on aime l'Italie et l'Irlande. Pour des raisons distinctes, les petites églises et les cyprès de l'une, les murs de pierre et les visages des rouquins rieurs de l'autre. Choisir, autant dire renoncer, emprunter un chemin sans retour qui la priverait de découvertes et de rencontres. Hélène n'a pas envie d'entrer dans l'âge des grandes décisions. Il sera toujours temps, plus tard. Elle se dit que les circonstances décideront pour elle. Le hasard, la Providence. D'un mot, d'un détail elle fera un signe et elle décidera de le suivre.

Quand elle a dit à Manfred : « Je dois filer pour l'ouverture de la librairie », il lui a pris la main et a déposé un léger baiser sur le bout de ses doigts. Ce geste cérémonieux mais plein de charme l'a surprise et l'a laissée rêveuse. « Dans mon pays, on baise la main des jeunes filles », s'est-il expliqué. Mais ce n'est pas seulement pour ça qu'elle a été troublée toute la journée. Elle est revenue voir Manfred à midi, en coup de vent. Les promeneurs sont nombreux à passer devant son objectif. Les plus scrupuleux n'osent pas entrer dans son champ.

— Faites comme si je n'étais pas là, leur lance-t-il.

Hélène s'est mêlée à un groupe de touristes, l'air de rien.

— Super ! J'ai mon *rosebud*.

Est-ce à cause de la Coupe du monde ? il y a moins de clients, ces jours-ci, à la librairie. Elle passe ses journées sur son fauteuil de toile, prenant le soleil et même se faisant les ongles de pied. Il est grand temps de délaisser les ballerines pour les sandales, signe du plein été. Elle a fini sa lecture de Zweig et son regard parcourt les bacs de la devanture. Au rayon poche, *Axelle* de Pierre Benoit, *À l'ouest, rien de nouveau* de Remarque, *Gilles* de Drieu la Rochelle, *Le Tambour* de Grass. Tous ces livres ont été un événement, que leur auteur a vu sortir en librairie avec un pincement au cœur : quel serait l'accueil des lecteurs ? Et les voici aujourd'hui soldés, oubliés entre quatre planches, livrés à la poussière de la rue. Hélène est-elle gardienne d'un cimetière ou d'un temple dont les dieux sont toujours vivants ? Un peu les deux à la fois. Elle se réjouit quand elle voit une lycéenne acheter avec émotion un livre qu'elle a aimé à son âge.

— Tu verras, c'est formidable.

Il lui est même arrivé d'offrir carrément le volume. C'était pour *J'ai quinze ans et je ne veux pas mourir,* un grand frisson de son adolescence. Bien sûr, elle en était revenue depuis, avait mesuré les limites du roman, mais pour rien au monde elle aurait gâché l'émerveillement de sa jeune cliente. Celle-ci aura bien le temps de découvrir *Le Silence de la mer* ou un autre chef-d'œuvre de la guerre.

Tiens, des nouvelles de Paul Morand. « J'allais voyager avec une dame… » Jamais lu. Hélène le prend et se rassied. Le soleil donne en plein sur la vitrine, il va passer les couleurs des couvertures mais hâlera harmonieusement son visage. Elle se tourne vers la lumière et ferme les yeux. Morand attendra la nuit.

Baptiste lui a proposé de venir chez des amis à lui qui ont une grande villa à Èze, sur les hauteurs de

Nice. Au programme, lui a vanté le garçon, farniente et découverte de l'arrière-pays.

— Tu verras, il y a des coins très sympas pour la grimpe.

— Mais je ne les connais pas, tes amis... Je ne vais pas m'incruster...

— Ne t'en fais pas, ils ne sont pas compliqués, tous les ans, c'est table ouverte. Je leur ai déjà parlé de toi.

Le matin même, Manfred lui a dit qu'en août, il projetait d'aller marcher dans la Margeride.

— Où ça ? a demandé Hélène.

— Tu ne connais pas ? C'est le pompon ! Pourquoi ris-tu ? Il me revient donc de te faire découvrir ton pays. C'est un endroit magnifique dans le Massif central. Des forêts à perte de vue, « à tomber », comme tu dis. Pour les vues panoramiques, il n'y a pas mieux. Tu voudrais m'accompagner ?

À tous les deux, elle a dit « peut-être » ; elle va réfléchir. Elle se laisse prendre par la main par Baptiste qui l'emmène sur les plus beaux points de vue de Paris et pose volontiers pour l'objectif de Manfred sur un pont ou dans un jardin. C'est convenu entre eux : elle n'est jamais son modèle, mais son *rosebud*. Et elle aime sa façon de lui baiser le bout des doigts.

La chaleur s'est encore accentuée dans Paris. L'équipe de France est en demi-finale. Vingt-quatre ans après Stockholm, où elle avait été battue par un prodige inconnu, le Brésilien Pelé. Cette fois, c'est l'Allemagne que la France va affronter. On est jeudi et tout le monde s'empresse comme une fin de semaine. Nul n'échappe à la fièvre qui a pris tout un pays. Au café, le matin, Hélène écoute les commentateurs du comptoir. Les Bleus peuvent créer l'exploit, éliminer ces seigneurs du football qu'est depuis longtemps l'Allemagne. C'est l'année ou jamais. C'est sûr, un jeune joueur à la crinière bouclée et aux jambes fines, Michel Platini, va mener son équipe à la victoire.

Elle le sait par sa mère, les hommes de la famille vivent pleinement l'événement. Son père rajeunit, cite des noms de joueurs de sa génération, ce qui fait sourire ses enfants. Il a coutume d'affirmer :

— Les grands événements, il faut les vivre ensemble. Ça crée des souvenirs. Je me souviens des images du premier pas sur la Lune, chez mes parents.

Elle a décliné l'invitation de Baptiste de se joindre à lui. Et Manfred ? Il ne lui a parlé de rien. S'intéresse-t-il à l'événement qui concerne pourtant son pays ? Que pense-t-il de ce match qui réveille le vieil antagonisme entre les deux pays ? Le verra-t-il avec des compatriotes ? Mystère. Hélène en jurerait : la passion débordante d'une foule, la fièvre sportive n'est pas son genre.

C'est en famille qu'elle regardera le match. À la gare, des grappes de supporters arborant écharpes et calicots, agitant des drapeaux se déploient dans la ville. La nuit risque d'être animée. Elle a fermé la librairie en fin d'après-midi. À quoi bon être ouvert quand tout un pays a la tête ailleurs ? Elle a pris le train pour une ville plus paisible qui étend ses allées plantées d'arbres comme une étoile ses branches.

Au bout de l'une d'elles, dans une impasse tranquille, se trouve la maison en meulière de ses parents. Il est 19 heures, mais tout est prêt. Un buffet est dressé sur la terrasse. Le poste de télévision a été déplacé, installé dehors, malgré les dénégations de sa mère.

— Et les voisins ?

— Ils seront eux aussi devant leur écran. Je te parie qu'ils crieront plus fort que nous. Tu les connais, ils ont la joie exubérante.

La coïncidence lui a sauté à l'esprit pendant le voyage en train. Baptiste, Manfred, France, Allemagne. Qui va l'emporter ? Que choisir ? Les vacances sur la Côte avec un Pierrot fantasque ou une marche en montagne avec un photographe grave et charmant ? Hélène va laisser le sort décider pour elle, le match lui dira ce qu'elle doit faire. Ils n'en sauront rien, mais à Séville, vingt-deux joueurs ont son été au bout du pied. C'est un jeu sans conséquence qui l'amuse beaucoup. Il donne du piment à cette soirée qui ne la passionne guère.

Il fait encore jour et Hélène sirote un punch-Coca, assise sur un pouf, une jambe repliée sous elle. La partie vient de commencer. La France est en bleu, l'Allemagne en blanc. Son père et son frère sont tendus. La France joue bien, mais c'est l'Allemagne qui marque. « Ça, c'est tout nous, on joue bien mais on se prend un but. » Platini égalise sur un penalty. Rien n'est joué. Où Hélène passera-t-elle ses vacances ?

Soudain un cri de rage jaillit. Des poitrines de son père et de son frère, et de tous les téléspectateurs de France et de Navarre, à en juger par le tumulte qui sort des fenêtres ouvertes du voisinage. Hélène ne comprend pas, elle ne regardait pas l'action et maintenant son frère est devant le poste, agenouillé, gesticulant comme un fou. Elle n'entend que les commentateurs qui s'égosillent pendant que le ralenti montre la scène, inlassablement. *« Il n'a pas fait le voyage pour rien. » « C'est pas vrai, mais c'est pas vrai. » « Et encore une fois, Schumacher ! Regardez où il va mettre son pied. »* Son frère s'est rassis. À l'écran, un joueur gît inanimé, ou peu s'en faut. Une civière l'évacue. Elle comprend que Patrick Battiston sur le point de marquer a été violemment heurté par le goal allemand. L'arbitre a sifflé une simple remise en jeu. À entendre son frère et son père, l'affaire est très grave. Une animosité née à Sedan il y a un siècle vient de ressurgir dans tout le pays. Le siège de Paris, la Marne, la Wehrmacht sur les Champs-Élysées.

À la fin du temps réglementaire, elle ne sait toujours rien de son été. Baptiste ou Manfred ? Commencent les prolongations. Tout un pays retient son souffle. Quelques minutes plus tard, elle semble fixée ; Trésor puis Giresse viennent de marquer. Elle pourra faire une valise légère : sandales et maillots de bain devraient suffire. Mais il est encore trop tôt pour boucler ses bagages. Les Allemands égalisent. Les bikinis sont sur son lit, à côté du gros pull et du short de marche.

Sur la terrasse, le match n'est plus tant une succession d'images fortes que de sons. À l'indignation qui a accueilli l'agression contre Battiston ont succédé les hourras saluant les buts français, puis les cris accablés, les gémissements devant la réaction allemande. C'est désormais l'angoisse qui règne, puisque les deux équipes en sont réduites à se départager aux tirs au but. Son père et son frère campent devant l'écran. De nouveau elle ne voit plus rien. Son verre est vide.

— Qui gagne ?
— Chut ! Bossis va tirer.

— Tu te rappelles, tu n'avais pas voulu regarder la finale avec moi ? J'en avais déduit que tu ne voulais pas accepter mon invitation pour les vacances. J'ai passé une soirée horrible.

Oui, elle se rappelle... Hélène sourit et pose un baiser sur la joue de son mari.

— Tu ne me méritais pas encore.

Mais à l'issue du match de Séville, elle a décidé d'accepter l'invitation de Baptiste. La victoire est revenue aux Allemands, même si, ce soir-là, le monde a été français. Il a souffert avec Battiston et pleuré avec Bossis. Éliminée au score, la France l'a emporté dans les cœurs. Hélène a retrouvé Baptiste un matin à l'aéroport, direction Nice. La maison était située à l'extérieur d'Èze, accrochée au rocher. Pendant la journée, elle gardait la fraîcheur. La piscine était creusée à même la pierre, en terrasse. De sa chaise longue, on avait sur la mer une vue exceptionnelle. Les journées étaient faites de levers tardifs, d'interminables déjeuners, de baignades, de lectures et de jeux jusqu'à point d'heure. Parfois Baptiste et Hélène s'éclipsaient. Ils découvrirent le village et ses petites rues escarpées. Il la fit rire par ses pitreries et lui donna le frisson quand lui vint l'idée d'escalader une façade à pic. Elle se rendit compte qu'elle tenait à lui. Il ne fut sérieux qu'un

soir, à la fin du séjour. Ils se promenaient à l'heure
où les touristes sont partis. L'air était encore chaud
du soleil intense de la journée, et sur une petite
place baignée d'un clair-obscur, Baptiste s'est arrêté.
À son visage soudain grave, Hélène a compris, et il
lui a parlé le plus sérieusement, le plus tendrement
du monde, et elle a acquiescé, les yeux brillants.

— Cette agression du goal, quel scandale, quand
on y pense. Ces Allemands, c'est des brutes.

— Pas tous, murmure Hélène. Pas tous.

François MOREL

Petite vacance

François Morel est acteur, metteur en scène, humoriste, essayiste, chanteur et chroniqueur de radio. Ce touche-à-tout de génie, à l'humour tantôt absurde, tantôt mordant d'après *Libération*, a publié plusieurs ouvrages, recueils de chroniques, romans, BD ou encore contes musicaux. Il a récemment publié le *Dictionnaire amoureux de l'inutile*, co-écrit avec son fils, Valentin, aux Éditions Plon.

La ministre de la Culture, comme chaque semaine, exprima avec émotion l'amour qu'elle portait aux artistes dont aussitôt les jambes embellissaient. Chacun, autour de la table, hocha la tête, en signe de profond apitoiement[1].

On aurait eu du mal à dire, cependant, si c'était la situation des artistes ou le discours de la ministre qui provoquait un tel sentiment de pitié.

À l'Élysée, ainsi que partout en France, c'était un mercredi matin comme un autre dans une période qui ne ressemblait à aucune autre. Autour de la table du Conseil des ministres masqués, les grands sujets, les uns après les autres, étaient évoqués avec application et gravité. L'épidémie, le Proche-Orient, les relations franco-britanniques, les fermetures d'usine... Chaque ministre prenait un air grave pour montrer combien il mesurait l'importance des propos tenus, particulièrement des siens.

Chaque ministre, en réalité, n'avait qu'une idée en tête. Elle concernait la rumeur qui s'amplifiait depuis

1. Autrement dit, ça leur faisait une belle jambe.

le matin et faisait état de l'aventure arrivée à un haut responsable du parti présidentiel embarqué dans la nuit même au commissariat du 8ᵉ arrondissement, tandis que sur les Champs-Élysées, au mépris du couvre-feu, il se promenait ivre et en nuisette à dentelles. « De la marque Aubade », avait précisé le grand reporter de BFMTV.

Le président de la République mit fin à la réunion, se leva, prit congé rapidement, ne laissant à personne le privilège d'une conversation privée.

— Mesdames, messieurs, je vous remercie.

Le ministre de l'Intérieur crut entendre le Président marmonner :

— Ils me font tous chier, cette bande de cons.

Il remarqua la faute grammaticale que cette déclaration comportait et n'eut pas à cœur de la diffuser, ce qui, de ce fait, ne put jamais apparaître dans aucun recueil des plus belles citations du Président.

Le président de la République enfila une veste, un bonnet à pompon, un manteau, releva son col, enroula une écharpe autour de son cou, ajusta son masque et prit la direction du parc. Un jardinier avait laissé un escabeau près d'un grand pin en cours d'élagage. Il le posa contre un mur, puis sauta dans la rue. Il était jeune, et souple encore. Le militaire en faction, chargé de la sécurité présidentielle, des écouteurs dans les oreilles, se passait en rigolant un podcast des « Grosses Têtes » et n'entendit pas l'impact du saut présidentiel sur l'asphalte de l'avenue Gabriel.

Je suis vraiment entouré par une bande de cons, pensa le Président qui, ce jour-là, était à prendre avec des pincettes.

Il remonta l'avenue Gabriel jusqu'à la Concorde, tourna à gauche rue Royale, contourna l'église de la Madeleine, enfila la rue Tronchet. Les mains dans les poches, masqué, bonneté, engoncé dans son manteau, le Président faisait l'expérience de l'anonymat.

Quand il se retrouva face à la gare Saint-Lazare, il se rappela le choc qu'avec l'amour de sa vie il avait ressenti devant le tableau de Claude Monet intitulé *La Gare Saint-Lazare*. Il se souvint aussi d'un vieux succès de Colette Deréal que lui chantait sa grand-mère, et cette tendre évocation fit naître derrière son masque un sourire invisible. Doucettement, il chantonna « À la gare Saint-Lazare »...

Cette petite marche lui avait fait du bien. Depuis presque cinq années qu'il occupait les plus hautes fonctions, il ne s'était jamais retrouvé complètement seul et libre de ses mouvements. Il y avait eu, heureusement, cette courte parenthèse à la Lanterne quand, testé positif au Covid, il connut une solitude bienvenue, hélas gâchée par la fatigue, les courbatures, les maux de tête, une toux sèche et les appels réguliers de son Premier ministre.

Le Président décida de prendre un train, n'importe lequel, le premier qui partirait. Par chance, il avait dans son manteau une carte bancaire. Il chercha un guichet pour acheter un ticket, mais n'en trouva pas. Il releva encore un peu plus son col, et prit un accent anglais afin de ne pas risquer de se faire reconnaître.

— Je vous prie, excousez-moi, je voudwai acheter tickete pour partir dans la train ?

Le Président, intérieurement, s'amusait de son culot. Il avait vraiment tous les talents. Aucun passant, cependant, ne s'arrêta. Tous semblaient possédés par leur téléphone, jouant, regardant un film, tentant de se situer géographiquement dans l'espace. Certains, même, utilisaient leur appareil pour parler à des correspondants lointains.

— Hé, Ducon ! lui cria une personne allongée de tout son long près de son chien, si tu veux un ticket, va au distributeur.

Son premier réflexe fut d'aller vers le vagabond, de retirer son masque, son bonnet, son écharpe, et de lui dire : « Savez-vous à qui vous parlez ? »

Mais il n'en fit rien. Ce n'était pas forcément le moment de se faire remarquer. Les Français, à en croire les journaux, étaient maussades. Bien sûr, la perspective de se faire lyncher à Paris en début d'après-midi dans une gare populeuse augmenterait peut-être le prestige de son destin, mais il n'avait pas envie de mourir. Il sortit sa black card et prit un ticket à 4,50 euros, direction Ermont-Eaubonne, le train partait cinq minutes plus tard. L'obtention du titre de transport nécessita plus de cinq minutes. L'appareil, au dernier moment, oubliait les données, réclamait qu'on renouvelle la demande, soutenait que la carte n'était pas valide.

Quand le Président obtint enfin son ticket, le départ pour Ermont-Eaubonne était prévu trente minutes plus tard.

Une demi-heure à tuer. Cela ne lui était pas arrivé depuis combien de temps ? Il marcha sur les quais, observa les passants qui, cachés derrière leur masque, apparaissaient énigmatiques. Il remarqua de la tristesse, du stress, une lassitude résignée.

Il regarda plusieurs trains partir. Il pensa à tous ces gens, tous ces destins. Les paroles d'une chanson de Reggiani lui traversèrent l'esprit : « Je voudrais être ce monsieur qui passe. » Il se demanda si, à force d'avoir tout réussi, il n'avait pas un peu gâché sa vie. *Et si j'avais eu le courage de tout plaquer pour devenir artiste, écrivain, comédien...* Il pensa à la femme de sa vie. Il se consola en se disant qu'on ne pouvait jamais avoir toutes les audaces.

Le train pour Ermont-Eaubonne était annoncé sans retard sur les grands panneaux lumineux, c'est-à-dire six minutes plus tard, mais le quai n'était pas indiqué. Trois minutes avant le départ du train, la voie était enfin affichée. Il s'agissait de la 13. Le Président n'était pas superstitieux. Dans l'instant naquit un mouvement de foule. À toute vitesse, parfois en rollers, en patins à roulettes, des jeunes filèrent vers les rames tandis que des vieux, des femmes à poussette, des handicapés avec difficulté se déplaçaient, craignant dans la panique de rater leur train.

Le Président avait toujours dans sa poche un petit calepin dans lequel il notait toutes ses idées. Le petit calepin était peu annoté. Il écrivit : « Demander à la SNCF d'annoncer les trains vingt minutes avant leur départ. » (Quand, quelques semaines plus tard, il en fit part au directeur de la SNCF, celui-ci lui répondit : « Mais oui, monsieur le Président, c'est ce qui se fait toujours. »)

Le Président s'installa près de la vitre. Une bruine tombait sur la région parisienne. Il avait bien fait de prendre son bonnet. Parlant très fort, une jeune fille en pleine conversation téléphonique s'installa de l'autre côté de l'allée.

— Je m'en bats les couilles, putain, c'est ma vie privée, je n'ai pas à lui raconter mes soucis personnels, je suis désolée, je m'en bats les couilles, de toute façon, c'est pas ma mère, putain, elle n'a aucun droit sur moi, c'est ce que je lui ai dit, c'est pas parce que mon père couche avec toi que tu es ma mère, putain, j'en ai rien à foutre, c'est une question de respect, je m'en bats les couilles, c'est ma vie privée, putain, ça regarde personne…

Le Président pensa à Giscard d'Estaing qui se faisait inviter chez les Français pour connaître leurs soucis. Lui faisait mieux encore : le temps d'un instant, il partageait leur vie.

La jeune fille descendit à Asnières-sur-Seine. Il nota dans son calepin : « Comment une jeune fille d'Asnières-sur-Seine peut-elle s'en battre les couilles ? » Il regarda les mots qu'il venait d'écrire comme on dévisage un inconnu puis biffa la question. Personne, parmi ses connaissances, ne pourrait l'aider à trouver une réponse.

Il consulta son téléphone portable. Il avait de nombreux messages, dont plusieurs de sa femme. « Tu es où ? », « Chéri, tu es où ? », « Personne ne sait où tu es passé », « Je n'arrive pas à te joindre, je suis inquiète… », « C'est la panique, dis-moi ce qui se passe ». Il tapota rapidement un texto : « Mon amour, rassure-toi, tout va bien. J'ai une réunion secrète de la plus haute importance, je serai là ce soir, comme convenu, pour dîner avec toi. Je t'embrasse comme je t'aime. »

Deux jeunes femmes, une voilée, une masquée, montèrent à Asnières.

— Tu vois, ce que je me demande, c'est si c'est une bonne publicité pour la marque.

— Bien sûr !

— Ma cheffe de vente, elle en est pas aussi sûre que toi parce que, excuse-moi, mais je ne le trouve pas spécialement affriolant. L'imaginer en nuisette

Aubade avec ses grosses cuisses poilues, j'ai peur que ce soit carrément une contre-publicité.

— Tu sais, le principal, c'est que la marque soit citée deux cents fois par jour. C'est ce que disait Pierre-Jean Chalençon l'autre fois sur Europe 1. Même quand on le critique, ça fait parler de lui : « Parlez-moi de moi, y a que ça qui m'intéresse… »

— Plutôt qu'Aubade, il aurait mieux fait de mettre du Scandale, ça aurait été plus approprié ! En tout cas, ça prouve bien que c'est tous des malades du cul, dans la politique.

Le Président aurait aimé intervenir, mais s'en garda. Cette affaire arrivait au pire moment, cependant avait-il connu autre chose que des pires moments depuis le jour de son élection ? Il repensa à la chanson de Guy Béart qui disait : « Parlez-moi d'moi, y a qu'ça qui m'intéresse. » Guy Béart, le chanteur préféré de sa grand-mère qui dans ces temps tourmentés lui manquait tant. Un jour peut-être, si vite courait le temps, il serait le dernier à se souvenir de Colette Deréal, de Guy Béart, de sa grand-mère…

Pompidou avait réussi à nouer une cordiale relation avec Guy Béart. Il nota dans son carnet de demander au secrétaire général de l'Élysée d'organiser un dîner avec Benjamin Biolay. Ou avec Vianney. Il avait besoin d'un ami troubadour.

Il se résolut justement à appeler le secrétaire général. Son portable était saturé de messages.

— Allô, qu'est-ce qui se passe ? Je t'ai appelé je ne sais combien de fois…

— Ne t'inquiète pas. Tout va bien.

— Mais pourquoi tu parles tout bas ?

— Je suis dans le train…

— Hein ? Tu es où ?

— Le Stade…

— Le stade quoi ? anal ?

— Je t'en prie, c'est pas le moment.

— Pardon. Sans déconner, t'es où ?

— Je viens de quitter La Garenne-Colombes, je vais bientôt être à Argenteuil ?

— Mais qu'est-ce que tu fous là-bas ?

— J'avais besoin de réfléchir, de prendre du recul.

— J'envoie une voiture immédiatement pour venir te chercher.

— Non, s'il te plaît. Laisse-moi. J'ai besoin de ce temps de vacance. Je suis peut-être en train de me fabriquer mes meilleurs souvenirs de ce quinquennat perdu.

— Ouh là là, toi, ça va pas bien… Tu nous refais le coup du grand Charles à Baden-Baden.

Le Président raccrocha. À Ermont-Eaubonne, il descendit du train, quitta la gare, marcha un peu. Dans une boulangerie, il acheta un sandwich jambon-gruyère. Il revint sur ses pas, reprit un ticket pour Paris, attendit le train. Installé dans le sens contraire de la marche, il se mit à manger son sandwich, puis il fit un petit somme. Le masque ne cachait plus que son menton. Un vieil homme s'installa quelques sièges devant lui, le fixa. Il allait chez sa fille qui habitait Colombes et regardait le Président sans spécialement d'étonnement. Il était content de se retrouver avec quelqu'un qui lui était familier. D'ailleurs, il avait voté pour lui, sans spécialement d'enthousiasme, mais à son âge on avait l'enthousiasme parcimonieux. Il se rapprocha de lui pour s'asseoir juste en face.

— Ça fait du bien de récupérer un peu...

Quand le Président se réveilla, son premier réflexe fut de chercher des yeux son agent de sécurité. Puis il se souvint de son escapade banlieusarde en solitaire.

— Je disais, ça fait du bien de récupérer un peu. Forcément, avec la vie que vous menez, vous devez pas dormir tous les jours dans votre lit. Tenez, voulez-vous mon mouchoir ? Vous avez un petit peu bavé en dormant...

Sans répondre, le Président, de la main, s'essuya la bouche et remit son masque correctement. Un sourire bienveillant flottait sur le pacifique visage du vieil homme.

— Et puis, continua-t-il, non seulement les déplacements, les décalages horaires, mais les discussions dans toutes les langues. Et puis les décisions qu'il faut prendre à tout bout de champ. C'est pareil, vous faites ce que vous pouvez, mais vous ne pouvez pas être spécialiste en tout. Ce qui est sûr, c'est que ça doit pas être facile tous les jours... Alors, je me mets à votre place, vous avez bien le droit de piquer un petit roupillon...

— En effet, oui, sans doute. Vous êtes qui ?

— Marcel Bidault. J'avais un garage à Levallois. À la limite de Clichy, si vous connaissez le coin... Mais maintenant, comme je dis toujours, je suis garé des voitures. Je suis à la retraite depuis un bon moment... Par curiosité, vous me donnez quel âge ?

Le Président pouvait être délicat. Pour ne pas vexer le vieux monsieur, il retira dix ans de l'âge qu'il estimait.

— Je ne sais pas... quatre-vingt-deux ans ?

— Exactement ! Ça, on peut dire que vous avez le compas dans l'œil. Ma femme est morte, ça va faire huit ans. Pas une journée sans que je pense à elle. On s'engueulait, mais dans le fond on s'entendait bien. Elle avait son caractère, c'est sûr, mais moi aussi. Qu'est-ce que vous voulez, c'est la vie… Bon, je vais descendre, j'arrive à Colombes, ma fille habite à deux pas. À l'occasion, sachez que je prends toujours ce train-là le mercredi, si ça vous dit… Comme ça, la semaine prochaine, on pourra continuer notre petite conversation…

Quand il arriva chez sa fille, Marcel Bidault lui lança illico :

— Tu ne sauras jamais avec qui j'ai voyagé !

— Le président de la République ? répondit sa fille, négligemment.

— Comment qu't'as deviné ?

La femme adressa à son vieux papa un sourire affectueux, mais tellement mélancolique…

— Tu sais, je crois qu'il va falloir trouver une solution. Cela ne va plus être possible, de te laisser habiter tout seul… Tu vas rester ici jusqu'à ce qu'une place se libère. J'irai chercher tes affaires.

Marcel se préparait doucement à l'idée de quitter sa maison et d'intégrer l'EHPAD de La Garenne. Mais là, c'était un peu précipité… Et puis, il avait rendez-vous dans le train avec le Président le mercredi suivant… Une larme roula sur sa joue.

À 18 heures pétantes, le Président se trouvait face à l'Élysée, 55, rue du Faubourg-Saint-Honoré. Le factionnaire demanda :

— C'est à quel sujet ?

Le Président se contenta de baisser son masque.

— Oh merde, monsieur le Président. Pardon, je voulais dire… Je ne vous avais pas reconnu, fit le garde dans un salut militaire.

Dans la cour, il croisa Richard Ferrand qui sortait d'un rendez-vous avec le secrétaire général et de sa poche un paquet de Tic Tac. Le Président était content de retrouver cet ami au doux sourire.

— Alors Ferrand, demanda le Président, toujours aussi con ?

— Toujours macroniste, mon général ! répondit Ferrand en lui proposant une petite dragée à la menthe.

Romain PUÉRTOLAS

Martine

Romain Puértolas a fait une entrée fracassante en littérature car son premier roman, *L'extraordinaire voyage du fakir qui était resté coincé dans une armoire Ikea*, paru aux Éditions Le Dilettante, a été encensé par la presse et le public, et récompensé par le Prix Révélation de la Rentrée Littéraire. Depuis, son succès ne se dément pas. Son dernier roman, *Sous le parapluie d'Adélaïde*, a paru récemment aux Éditions Albin Michel.

— Alors voilà, je m'appelle Richard, j'ai cinquante-huit ans et ma femme s'appelait Martine. Je devrais pas vous parler de ma femme, mais il est très difficile pour moi de parler de moi sans parler d'elle. On était mariés depuis trente-neuf ans. Je sais, se marier à dix-neuf ans, ça peut paraître tôt, mais quand on est persuadé d'avoir rencontré l'âme sœur, eh bien, pourquoi attendre, pas vrai ? Difficile, donc, de me décrire sans l'évoquer, elle, car tout dans ma vie, depuis mes hobbies jusqu'à mes goûts vestimentaires, tenez, cette chemise par exemple, cette veste, ce pantalon, c'est elle qui me les a offerts, tout dans ma vie, donc, comme mes opinions politiques et religieuses, a été conditionné par Martine. On s'est construits ensemble, non pas comme deux individus, mais comme un seul, c'est ce qu'il y a de plus beau dans l'amour, que deux personnes en deviennent une seule. On était indissociables, vous comprenez ?

— Oui, je comprends, Richard, mais euh… c'est assez gênant pour moi que vous me parliez de votre épou…

— De Martine, elle s'appelait Martine.

— Oui, j'entends bien, mais nous sommes tout de même dans un *speed dating*, alors…

— Oh, je suis confus ! Vous avez raison, vous me demandez de me présenter et moi je vous parle de Martine, quel goujat je fais, excusez-moi, vraiment, Marie.

— Anne.

— Oui, excusez-moi, Anne, c'est la première fois que je vais à un rendez-vous depuis… depuis…

— Depuis Martine.

— Oui, voilà, depuis Martine, et je ne sais plus comment on fait.

— Ce n'est pas grave. Je comprends, cela doit être un peu compliqué. Moi aussi, cela fait quelque temps que je ne sors pas, que je ne vois pas grand monde. Il doit bien y avoir deux ans que je n'ai pas dîné en tête à tête avec un homme, alors quand j'ai vu cette affiche, je me suis dit : pourquoi pas ? Je suis en vacances, je n'ai rien d'autre à faire, profitons-en !

— C'est exactement ce que je me suis dit, moi aussi !

— Et qu'est-ce que vous faites de beau dans la vie, Richard ?

— Assureur. C'est pas passionnant.

— Au contraire ! Je trouve cela très excitant, moi.

— Ah bon ?

— Oui, vous êtes un peu comme un détective, j'ai vu pas mal de documentaires à la télé sur les assurances. Vous retrouvez une voiture dans un pré-cipice, un cadavre calciné au volant, il faut que vous investiguiez pour savoir si c'est accidentel ou bien un meurtre, vous examinez sa denture et la comparez au propriétaire du véhicule et…

— Je vends des assurances.

— Ah.

— Je fais du porte-à-porte. Enfin, j'appelle cela du nez-à-porte. Parce qu'on m'ouvre pas souvent, ou alors on me referme la porte au nez.

— …

— Du nez-à-porte.

— Oui, j'avais compris.

— Et vous riez pas ?

— Eh bien, cela ne me fait pas trop rire.

— Ah. Alors question humour, vous en avez pas beaucoup, c'est ça ?

— Ah non, j'ai énormément d'humour. Mais pour les choses qui me font rire.

— Ah. Et c'est quoi qui vous fait rire, donc, Martine ?

— Anne.

— Oh, pardon. Oui, Martine, c'était…

— Votre femme.

— C'est ça. Donc, c'est quoi qui vous fait rire, Anne ?

— Je ne sais pas, moi, voyons voir, des blagues intelligentes, par exemple.

— Des blagues intelligentes ? Ça existe ?

— Pourquoi cela n'existerait-il pas ?

— Je pensais que les blagues, c'était forcément con, et que c'était pour ça que ça nous faisait rire.

— Eh bien, c'est une vision erronée. Il existe des blagues intelligentes hilarantes. Vous chercherez sur Internet.

— Dis, ça te dérange pas si on se tutoie ?

— Pas du tout, au contraire, je pense que ce sera plus convivial. Bien, et moi, tu ne me demandes pas ce que je fais quand je ne suis pas en vacances ?

— Tu travailles dans quoi ?

— Je suis libraire.

— Ah. C'est bien. Je comprends maintenant l'histoire des blagues intelligentes.

— Pourquoi ?

— Parce que tu dois lire beaucoup.

— Oui, je lis énormément, mais cela n'a rien à voir avec l'intelligence, c'est plutôt de la culture. Et toi, tu lis ?

— Les prospectus.

— Les prospectus ?

— Oui, d'assurance. Ils en sortent toujours des nouveaux et il faut bien que je les lise avant de les donner aux clients. Ce serait pas sérieux, sinon.

— Oui, tu as raison, il vaut mieux.

— On a combien de temps ?

— Il reste à peu près sept minutes.

— Ouh là !

— Oui, comme tu dis. Ce n'est pas beaucoup.

— Ah non, je pensais que c'était trop, je sais déjà plus quoi raconter.

— Je ne sais pas, tu fais du sport ?

— Je faisais du tennis avec Martine.

— Ah, c'est bien, le tennis. Tout le monde fait maintenant des tas de choses bizarres, tu verrais ce que l'on te propose dans les salles de sport. C'est à n'y rien comprendre, que des mots anglais. *Fitness, body pump, body balance, running, cross training, cross-fit.* Alors que le tennis, ça, c'était autre chose.

— C'est pas un mot anglais, tennis ?

— Si, peut-être, tu as raison, en effet. Mais je crois que le mot anglais vient du mot français « tenez », que l'on utilisait au jeu de paume avant de lancer la balle, enfin, bon.

— Tu en sais, des choses. Martine aussi, elle savait plein de choses. J'apprenais toujours des trucs avec elle.

— Comment est-elle…

— Morte ? Un accident de voiture. On l'a retrouvée dans un précipice sur la route d'Étretat. Calcinée au volant de la Megane.

— Oh, mon Dieu ! Ils ont examiné sa denture ?

— Pour quoi faire ?

— Tu as raison, je regarde trop la télé, tous ces reportages.

— Elle me trompait.

— Martine ? Elle te trompait ?

— Oui. Avec son prof de *body pump*. Un petit jeune avec un corps de rêve. Cela faisait bien trois mois qu'ils se voyaient dès que j'avais le dos tourné. Enfin, dès qu'elle allait à la salle de sport. Je la comprends un peu, regarde-moi. À son âge, moi aussi, j'étais foutu comme lui, mais bon, j'ai cinquante-huit balais, quand même !

— Je trouve que tu n'es pas trop mal. C'est normal que l'on perde ses cheveux et que l'on prenne du ventre à ton âge. Et puis que l'on mette des… survêtements.

— Merci, Martine.

— Richard, c'est tout de même un peu embarrassant que tu m'appelles Martine à tout bout de champ.

— Tu as raison, ce serait peut-être plus simple qu'on aille à la mairie et que tu changes de prénom.

— Ha ha ha ha ha !

— Ça te fait rire ?

— Excuse-moi, là, oui, je crois que c'est... c'était tellement... enfin, bon, tu vois, ta blague m'a fait rire. Et ce n'est pas forcément une blague intelligente.

— C'était pas une blague, Martine.

— Ah bon ?

— Non, pourquoi ? Ce serait tellement plus simple. Tu entres à l'état civil sous le nom de...

— Anne.

— Oui, voilà, Anne, et dix minutes après, tu ressors en Martine.

— Je ne sais pas si je tiens à m'appeler Martine.

— Tu t'y feras. Après deux, trois jours, tu sauras même plus comment tu t'appelais avant.

— Je ne crois pas, enfin, bon, il nous reste cinq minutes, je pense que l'on devrait s'en tenir là, tu ne trouves pas, Richard ? Je pense que tu n'as pas encore surmon...

— Ta gueule, Martine !

— Pardon ? Non, là, vous dépassez les bornes, monsieur, je...

— On se tutoie plus ?

— Mais vous venez de m'insulter !

— Je t'ai pas insultée, je t'ai dit « Ta gueule ».

— On ne m'a jamais parlé de la sorte.

— Excuse-moi, faut pas m'en vouloir. Des fois, Martine, elle commençait à parler un peu trop, elle disait pas que des trucs intelligents, tu sais, alors je lui demandais de la fermer. Surtout quand on mangeait, je supporte pas trop de parler en mangeant. Et encore moins d'entendre une bonne femme causer. J'aime bien la paix. Là, on boit un verre, on picore un truc et donc ça va, j'accepte, et puis on se connaît pas, qu'est-ce que tu penserais de moi si je faisais pas d'efforts la première fois, pas vrai ?

— Oui, c'est... En tout cas, vous êtes sincère.

— Je préférais quand tu me tutoyais, Martine.

— Bon, ce petit jeu ne m'amuse plus du tout, Richard.

— Il reste cinq minutes et je compte aller jusqu'au bout. Alors tu vas gentiment rester assise sur cette chaise jusqu'à ce que la cloche sonne et arrêter de faire ta mijaurée. Ensuite, on prendra la Megane et on ira faire un petit tour.

— La... Megane ? Celle dans laquelle est morte Martine ?

— Tu veux dire l'autre Martine ? Oui, j'ai fait quelques réparations. Ça m'a coûté un paquet mais je voulais la garder. Martine aussi.

— Martine aussi voulait la garder ?

— Non, je voulais garder la voiture et Martine.

— Je ne comprends pas.

— J'ai fait empailler Martine, enfin, ce qu'il en restait. Par contre, elle est plus au volant, je l'ai mise sur le siège passager, ça te dérange pas de t'asseoir derrière ?

— ...

— Non, parce qu'il y a des gens qui aiment pas ça, il faut qu'ils regardent la route quand ça roule sinon ils ont la nausée. Tu es comme ça, toi ?

Je préfère te demander parce que j'aimerais pas que tu me salopes les sièges de la Megane.

— Vous me faites peur, Richard. Vous avez vraiment fait empailler votre femme ?

— Je sais, tu vas me trouver romantique, mais c'est tout moi, ça. Un peu trop fleur bleue parfois. Tu aimes pas les hommes romantiques ?

— Si, si, mais…

— Je suis en train de m'ouvrir à toi, là, Martine. Et c'est pas rien, tu peux me croire. Comme qui dirait, je commence à tomber amoureux.

— …

— Je me suis un peu emporté tout à l'heure, j'aurais pas dû te dire « Ta gueule », enfin, pas dès le premier soir, c'est pas des manières, et pour me faire pardonner, j'aimerais bien t'emmener dîner ailleurs, si ça te dit, dans un endroit de standing en bord d'autoroute. Cet apéritif m'a ouvert l'appétit, pas toi ?

— Pas vraiment, non.

— On va prendre la Megane et je vais t'inviter aux Trois Lions, tu verras, c'est un chouette resto sur la falaise. Leur spécialité, c'est la tête de veau. Je te laisserai les joues. Et puis de là-haut, la vue sur la mer est à couper le souffle.

— J'aurais accepté avec plaisir mais je ne peux pas, j'ai… je suis… végétarienne. C'est ça, je suis végétarienne.

— Ah mince, bon, c'est bien que tu me le dises, pour connaître tes goûts culinaires, quoi. Même si c'est toi qui cuisineras, parce que moi, à part faire un sandwich au beurre, je sais pas préparer grand-chose. Ils ont des lasagnes, aussi, aux Trois Lions.

Des lasagnes de légumes, je le sais parce qu'un jour,
Martine, elle en a pris.

— Je ne peux pas, Richard, j'ai un dîner avec
une amie ce soir.

— On dirait que j'ai pas de chance. Enfin, que
t'as pas de chance. Parce que je m'apprêtais à te
sortir le grand jeu, là. Tu imagines pas.

— Non, je ne préfère pas imaginer, en effet.

— Et demain ?

— Quoi demain ?

— Je t'invite au resto demain.

— J'ai... un enterrement.

— Ah mince, quelqu'un que tu connaissais ?

— Oui, on va en général aux enterrements de
gens que l'on connaît...

— Un homme ? Une femme ?

— Qui ça ?

— Le mort.

— Oh, euh... une femme.

— Elle est morte de quoi ?

— Cancer.

— C'est fou, tous ces gens qui meurent de cancer.
On mange vraiment que de la merde ! Ou alors c'est
l'air qu'on respire. Tu sais, pendant des années, j'ai
cru que Martine, elle allait mourir d'un cancer. Elle
avait tout le temps mal quelque part, et puis, non, tu
vois, elle est morte calcinée au volant de la Megane !
C'est marrant, non ? Bon, et après-demain ?

— Mes vacances seront terminées et j'aurais
repris le travail. Je serai prise toute la semaine.

— Toute la semaine ? Ça commence pas fort,
notre relation.

— Je pense qu'il est un peu prématuré de parler de relation, non ?

— Ah bon ? Et comment on dit quand deux personnes s'aiment ?

— Mais nous ne nous aimons pas, Richard !

— Je t'aime, moi.

— …

— Tu me dis pas « Moi aussi » ? Normalement, quand quelqu'un dit « Je t'aime », l'autre répond « Moi aussi ».

— C'est que je ne suis pas aussi rapide, Richard. Bon, je suis un peu gênée, là, je voudrais que cela se termine.

— J'attendrai. Je suis un homme attentif et galant. Je peux attendre. Qu'est-ce qu'une petite semaine quand on sait qu'on va vivre ensemble après jusqu'à notre mort, hein ? Que je serai là jusqu'à ton dernier souffle, que tu mourras dans mes bras.

— Ce n'est pas la peine d'attendre autant, Richard.

— Si, j'y tiens. Je passerai te prendre, pas ce lundi, l'autre, avec la Megane. Et Martine. Je suis sûr que vous allez bien vous entendre, toutes les deux.

— Répondez-moi sérieusement, Richard, votre femme est vraiment sur le siège passager de votre voiture, au moment où nous parlons ? Empaillée ?

— Bien sûr.

— Dans la rue ?

— Non, j'ai trouvé un parking. Pour pas faire peur aux gosses.

— C'est très glauque, ce que vous me racontez, Richard.

— Pourquoi ?

— Il reste quatre minutes, je trouve que cette rencontre est interminable.

— Tout à l'heure, tu disais que c'était trop peu.

— J'ai changé d'avis.

— Tu changes souvent d'avis ? Parce que Martine, elle changeait tout le temps d'avis.

— Je crois que vous devriez consulter un psychiatre, Richard. J'en connais un, je peux vous passer son numéro si vous voul...

— Tu crois que je suis fou, Martine ?

— Non, je n'ai jamais dit cela. Vous êtes un homme en souffrance, je pense, depuis la mort de votre femme. Vous devriez vous confier à un spécialiste, il pourrait vous aider à mieux surmonter ce drame.

— Mais je vais très bien. Sinon, je serais pas là ce soir. Je serais resté à la maison à fourrer des canards.

— Fourrer des canards ?

— Je chasse. Ensuite, je fourre les canards, avec des figues.

— Oh, c'est... merveilleux. Je croyais que vous ne saviez pas cuisiner.

— C'est pas de la cuisine, Martine. Je fais ça quand je suis triste. Je leur enfonce des figues ou des cailloux dans le trou de balle, et ensuite, je les balance dans le lac. J'aime les regarder couler. Avec leur petit bec qui...

— Oh, non, Richard !

— Ah oui, c'est vrai, tu es végétarienne.

— Cette maudite cloche ne va-t-elle donc jamais sonner ?

— Moi, je veux pas qu'elle sonne, parce que ça voudra dire que tu devras partir.

243

— Oui, justement !

— Je veux pas que tu partes, Martine, parce que je t'aime. À la folie.

— Bon, Richard, il faut que je sois sincère avec vous. Vous l'avez été avec moi il y a quelques minutes, alors voilà, je ne pense pas que nous nous reverrons. Je ne pense pas que cela fonctionnera entre nous.

— C'est pour la cuisine ?

— Non, non.

— Pour les canards ?

— Non ! Nous n'avons aucun point commun, c'est tout.

— On lit, tous les deux !

— Voyons, Richard, vous lisez des prospectus !

— Je peux te vendre une assurance décès, si tu veux.

— Pour finir calcinée au volant d'une Megane ? Non merci !

— Je te ferai un prix. J'avais pris une assurance décès à Martine. Eh bien, tu vois, j'ai bien fait, elle est morte un mois après. Et puis j'ai touché une somme rondelette. 100 000 euros, qu'elle valait, ma Martine ! Je me permets de te le dire, parce que je sais que l'argent, vous autres les femmes, vous aimez bien ça, chez un homme. Alors on peut dire que je suis un peu riche.

— Ce n'est pas la première chose que je regarde, moi.

— Ah ?

— Non, vraiment, Richard. Je ne veux ni assurance, ni restaurant, ni rien.

— Tu veux pas me revoir, alors ?

— C'est ça. Je crois que c'est mieux pour nous deux. Nous serions malheureux.

— C'est Martine qui va être malheureuse. Elle se faisait une joie que je me remette avec quelqu'un. En plus avec une Martine.

— Je ne m'appelle pas Martine, Richard ! Je m'appelle Anne ! Vous comprenez ? Anne !

— Elle va vraiment être triste. Elle en a marre, de me voir fourrer des canards tous les soirs. Elle pensait que s'il y avait une nouvelle femme dans ma vie, j'irais mieux. Je me fais pas de film, c'est elle qui me l'a dit. En venant, dans la voiture, elle m'a dit : « Tu sais, Richard, j'espère qu'on va trouver une gentille amie pour toi. Je ne suis pas jalouse. Depuis que je suis morte, je ne sais pas ce qu'il m'arrive, mais je ne suis plus jalouse. » Parce que, quand elle était vivante, elle était très jalouse et très mauvaise, une sanguine ! Tu peux pas t'imaginer. La mort lui fait du bien, je trouve. Elle est plus tranquille. Moins stressée, quoi.

— ...

— Tu me donnes ton adresse ?

— Mon Dieu, mais pour quoi faire ?

— Pour venir te chercher lundi. Et puis, entre amoureux, c'est plutôt normal de savoir où l'autre habite, non ?

— Pas forcément. Vous savez, Sartre et Simone de Beauvoir étaient ensemble, et pourtant, ils habitaient chacun chez soi.

— C'est qui ? Tes voisins ?

— Des écrivains.

— Ah. Bon, en tout cas, on pourrait faire comme eux juste le temps qu'on prépare le mariage. Parce qu'après tu pourras venir habiter à la maison. Martine a été très ferme à ce sujet. Elle veut pas de femme à la maison tant qu'on n'est pas mariés. La vieille école, tu vois ?

— Je vois très bien. C'est tout à son honneur.

— Alors ? Ton adresse, Martine ?

— Je ne vais pas vous donner mon adresse, Richard. Je ne vous aime pas, je ne veux pas me marier avec vous, et je n'ai aucune envie d'aller aux Trois Lions dans votre... Megane !

— On prendra un taxi, si tu veux.

Dringggggggggg ! Allez, on change de partenaire !

— Ah ben mince, c'est terminé, je... Martine ! Eh, Martine, reviens !

— Bonsoir, je peux m'asseoir ?

— Ah, bonsoir, madame. Oui, bien sûr.

— Je m'appelle Ingrid, et vous ?

— Moi, c'est Richard.

— Enchantée, Richard, alors voilà, j'ai quarante ans et mon mari s'appelait Antoine. Oui, je sais, je ne devrais pas vous parler de mon mari, mais il est très difficile pour moi de parler de moi sans parler de lui, vous comprenez, Antoine ?

— Je comprends tout à fait, Martine.

Tatiana DE ROSNAY

Génie et Magnificent

Franco-anglaise, Tatiana de Rosnay est une romancière à succès mondialement connue pour, entre autres, son ouvrage *Elle s'appelait Sarah*, best-seller international vendu à plus de 11 millions d'exemplaires et adapté au cinéma. Elle a récemment publié *Les Fleurs de l'ombre* et *Célestine du Bac* aux Éditions Robert Laffont.

— Mrs. Farrell, vous devriez vraiment reprendre un peu de ce dessert, il est délicieux, dit en souriant l'aide-soignante, une jeune femme infatigable.

Mrs. Farrell, redoutée dans la résidence pour sa bougonnerie, se contenta de hausser les épaules, en se détournant. Elle n'était pas commode, pensa la jeune Lily en allant proposer le dessert à d'autres pensionnaires plus aimables. L'octogénaire était arrivée à Sunny Hills Home il y avait tout juste un an, après le décès de son époux, David.

Mrs. Farrell n'avait nullement eu l'intention de se retrouver en maison de retraite médicalisée, mais ses deux enfants, Isabella et Andrew, ne lui en avaient pas laissé le choix. Derrière son dos, ces bougres avaient choisi cet endroit atroce, sous prétexte que ce n'était pas loin de chez eux, et qu'ils pourraient venir la voir régulièrement avec leurs enfants, ses petits-enfants. Elle avait dû renoncer à son joli cottage près de Windsor qu'elle aimait tant, à son labrador, son chat, ses rosiers et le *tea time* avec ses voisins.

Elle croupissait dans cette résidence aux murs saumon dont la teinte lui donnait envie de se pendre. Elle s'installait à l'écart pour les repas, fuyait la salle de convivialité et n'avait tissé aucun lien avec les autres retraités, d'affreux grabataires selon elle, qui s'abrutissaient pendant des journées entières devant la télévision au volume sonore poussé au maximum. Elle ne parlait à personne et ne prenait jamais part aux activités : atelier peinture, gymnastique douce, jeux de cartes. Elle n'avait même pas voulu mettre un orteil dans la grande piscine très agréable, pourtant un des attraits de l'établissement. Nager avec ces vieux fossiles, jamais ! Un ennui fétide, selon elle.

Mrs. Farrell restait le plus souvent dans sa chambre, le nez plongé dans un livre. Lors des promenades quotidiennes dans le jardin de Sunny Hills, elle refusait qu'on la pousse dans une chaise roulante comme les autres. Elle n'était pas encore complètement gâteuse, bon sang, elle pouvait encore se mouvoir ! Elle ne semblait se ranimer qu'en présence du coiffeur, Daz, avec qui elle avait rendez-vous une fois par semaine pour sa mise en plis.

Quel rayon de soleil, ce Daz ! Il était jeune, beau, métis, bavard, avec un jean moulant et une mèche rebelle qui lui tombait dans l'œil. Et en plus, il coiffait bien, il ne lui imposait pas ces crans hideux qui ajoutaient dix ans et faisaient ressembler à un caniche. Il lui racontait ses sorties, ses histoires d'amour foireuses, ses problèmes avec ses parents ; elle écoutait, ravie. Qu'importe qu'il préfère les garçons ; elle s'en fichait, pas comme cette vieille bique intolérante, Mrs. Bates, qui renâclait à se faire coiffer par lui.

— C'est quoi votre prénom ? demanda Daz un matin, tout en massant son cuir chevelu, ce qu'il faisait divinement.

— J'ai un prénom horrible, avoua-t-elle, les yeux fermés.

— Je ne vous crois pas ! Vous avez tant d'élégance.

— Je m'appelle Millicent. N'est-ce pas épouvantable ?

— Mais pas du tout ! s'écria Daz. Ça vous va super bien !

— Pff ! dit-elle. Quel flatteur vous faites !

— Et on vous donnait quoi comme petit nom ?

— Millie ou Mimi, des trucs ridicules comme ça. Je déteste les surnoms. Mais je me souviens qu'il y avait une fille au pensionnat qui m'appelait « Magnificent ». Ça, j'aimais bien.

— Je comprends. Pour votre âge, vous êtes encore magnifique, alors ça a dû être quelque chose, quand vous étiez jeune !

— Daz, vous faites ce baratin à toutes les vieilles de la résidence, voyons ! Pour avoir un pourboire, certainement !

— Non, c'est sincère, Lady Magnificent. Je rêve d'avoir une grand-mère comme vous. La mienne est au bout de sa vie et se plaint tout le temps. Les autres ici sont des mémères sinistres. Vous, vous êtes une dure à cuire d'une classe folle.

— Oh, allez, ça suffit, Daz !

Mais intérieurement, il y avait une sensation chaude et vibrante qui rayonnait et qui lui faisait du bien. Dans la glace, Millicent aperçut son reflet ; un visage resté ovale malgré les rides et les ravages du temps, un regard bleu acier, des pommettes hautes, une bouche mince rehaussée de rouge, et une chevelure blanche comme neige relevée en un chignon torsadé. Plutôt pas trop mal, pour quatre-vingt-sept ans.

Comme le temps passait lentement et cruellement, ici ! Comme les journées paraissaient longues ! Heureusement qu'il y avait ses livres chéris. Millicent avait pu faire transporter la plus grande partie de sa bibliothèque ; elle avait fait des pieds et des mains pour qu'on lui installe des étagères pour caser tous ses romans favoris. Pendant des après-midi entiers, elle se mettait près de la fenêtre, sous la lampe, avec un plaid sur les genoux, une tasse de thé fumant à ses côtés, et elle lisait. Ou plutôt, elle relisait. Elle avait commencé par Agatha Christie, une de ses romancières préférées ; puis elle avait attaqué les sœurs Brontë, Jane Austen, Daphne du Maurier, Oscar Wilde, Edith Wharton.

Grâce à ces merveilleux écrivains, elle s'échappait ; elle partait loin dans d'autres contrées, elle respirait l'air maritime (et non plus l'odeur de soupe et de choux de Bruxelles), elle entendait autre chose que les complaintes de Mrs. Nesbitt qui se plaignait en permanence avec une voix chétive, ou les interludes musicaux de Mr. Brayers, persuadé qu'il possédait le talent de Chopin. Elle rêvait d'avoir une kalachnikov sous la main pour faire un carnage.

Les livres étaient toujours là pour elle. Ils ne la laissaient jamais tomber.

Millicent n'avait pas essayé de se faire des amis à Sunny Hills, pour la simple raison qu'elle se sentait différente des autres ; elle avait l'impression qu'ils avaient décidé de ne plus s'intéresser à rien, de se défaire à jamais de leurs passions, leur verve, leur joie de vivre, de sombrer définitivement dans la vieillesse pour devenir cacochymes, se ratatiner dans le traintrain, se contenter de vivoter et de mourir ici, distraits, inattentifs, à petit feu. Elle ne supportait pas cette apathie autant intellectuelle que physique et, plus les jours passaient, plus elle se révoltait, et pas toujours intérieurement. Oui, elle devenait maussade, parfois impolie ; l'équipe soignante la redoutait, sauf Daz, le seul à voir son sourire, et à entendre son rire.

Une nouvelle retraitée fit un jour son apparition à Sunny Hills, dans la salle de convivialité après le déjeuner. C'était une petite dame replète, dont le visage poupin était entièrement mangé par d'immenses lunettes à double foyer. On murmurait qu'elle venait de se faire opérer de la cataracte et que c'était pour cela qu'elle marchait avec prudence, aidée par une canne. Elle vint s'asseoir auprès de Millicent, qui ne lui accorda même pas un deuxième regard, en se replongeant avec délices dans *Rebecca*, par Daphne du Maurier. Ah, cette effrayante Mrs. Danvers, ce pompeux Maxim de Winter !

Millicent se rendit compte au bout d'un moment que la nouvelle venue la dévisageait avec insistance derrière ses lunettes. Elle trouva cela parfaitement désagréable et lui tourna le dos, mais sentait encore son regard lourd sur elle, comme deux petits points qui lui brûlaient les omoplates. Mais que lui voulait-elle, enfin, cette vieille taupe ? Au bout de dix minutes, n'y tenant plus, elle se réfugia dans sa chambre.

À chaque repas, la dame ronde tentait de se rapprocher d'elle, et Millicent battait en retraite. Pas question de se laisser importuner. La dame ne portait plus ses lunettes ; elle avait des yeux perçants, noirs et lumineux, qui semblaient tout noter, ne rien rater. Millicent demanda discrètement son nom à la jeune Lily. Mrs. Reeves. Cela ne lui disait rien du tout.

Chaque fois qu'elle faisait un pas, Mrs. Reeves était là, en embuscade, comme si elle la guettait. Toujours ces yeux noirs, étincelants. Elle bougeait remarquablement vite, pour une personne qui avait autant d'embonpoint. Millicent parvenait tout de même à la semer. Ce manège dura une semaine, et les autres pensionnaires s'en amusaient beaucoup. *Oh, look*, Mrs. Farrell qui ne veut toujours pas adresser la parole à Mrs. Reeves, quelle snob, vraiment !

Un matin, Millicent décida de prendre le taureau par les cornes ; elle n'allait pas se faire manipuler par cette dondon, certainement pas ! Mrs. Reeves prenait son petit déjeuner seule près du buffet, en lisant son journal. Millicent nota qu'elle mangeait du porridge et qu'elle n'avait pas lésiné sur le miel. Elle s'installa face à elle avec cérémonie. Après quelques instants, Mrs. Reeves leva les yeux et lui sourit ; la peau de son visage poupin était rose et rayonnante. Elle n'était pas si effrayante que ça, finalement, et elle avait toutes ses dents, ce qui était rare à leur âge, nota Millicent.

— *Hello*, dit Mrs. Reeves avec une voix malicieuse, une voix de fillette qui aime faire des bêtises. Comment ça va ?

Les yeux noirs brillaient de plus belle.

— Que voulez-vous ? demanda Millicent, sans ambages. Pourquoi me suivez-vous tout le temps ? Qu'avez-vous à me dire ?

Sans un mot, Mrs. Reeves posa sa serviette, qu'elle plia méticuleusement avec ses doigts boudinés ; elle souriait toujours, ce qui agaça prodigieusement Millicent. Encore une pauvre vieille qui devenait gâteuse. Il n'y avait que ça, ici.

Elle allait se lever et quitter la table lorsque la dame prononça à voix basse un mot qui la figea ; elle se dit qu'elle n'avait pas bien entendu, alors elle se rapprocha.

— Pouvez-vous répéter ce que vous venez de me dire ?

— MAGNIFICENT ! s'époumona Mrs. Reeves.

Millicent sursauta, comme les pensionnaires de la table voisine, mais pas pour les mêmes raisons. Comment diable connaissait-elle ce surnom, cette vieille chouette ?

— C'est Daz qui vous a parlé ?

— Je ne sais pas qui est Daz, rétorqua l'impertinente Mrs. Reeves.

— C'est le coiffeur de la résidence.

— Jamais vu.

— Mais alors…

— Dis donc, Magnificent, tu as perdu la boule ou quoi ? Ou tu fais exprès de ne pas me reconnaître ? Je sais, ça doit bien faire soixante-dix ans, tout ça, au moins, mais moi je n'ai rien oublié. Rien du tout. Ça te dit quelque chose, nos vacances à Bramfield House ?

Silence.

Millicent porta ses mains à ses lèvres. *My God !* Bramfield House. Mais non, ce n'était pas possible. Ce ne pouvait pas être elle. C'était fou. C'était inouï. Elle n'en revenait pas, elle restait assise, muette, sous le choc.

— Tu as un peu grossi, murmura-t-elle, médusée.

Mrs. Reeves gloussa.

— Un peu ! T'es gentille ! J'ai toujours été boulotte, mais avec les années, cette fichue graisse s'est installée. Rien à faire. Toi, par contre, rien à dire sur ta ligne. C'est naturel, ou tu as tout fait refaire, dis ?

— IMOGEN ! cria à son tour Millicent, faisant de nouveau sursauter le couple d'à côté, apeuré.

— Oui, c'est bien moi. Tu en as mis, du temps. Je commençais à croire que tu étais devenue complètement gaga.

Ce n'était plus une octogénaire grassouillette assise devant elle, mais une adolescente tout en rondeurs, une brune au teint de pêche, aux yeux noirs et dansants, au sourire canaille. Ce n'était plus Mrs. Reeves et ses doigts boudinés, mais Imogen Fernsby et son audace, son grain de folie et sa drôlerie ; la fille la plus brillante de la classe, celle qui avait le plus de panache, celle qui ne reculait devant rien, celle qui fut renvoyée avec pertes et fracas en dépit de l'excellence de son carnet de notes, Imogen Fernsby, dite Génie, le cauchemar des institutrices du pensionnat. Sa meilleure amie, à seize ans.

Millicent se tapota les yeux avec sa serviette.

— Oh, Génie, j'ai envie de pleurer. C'est tellement extraordinaire de te retrouver ! Mais pourquoi nous sommes-nous perdues de vue ? Et toi, pourquoi es-tu ici ? Qui a osé t'enfermer là ?

— Sèche tes larmes, Magnificent. Nous sommes là, ici et maintenant. Je ne peux plus vivre seule, je suis trop vieille. C'est moi qui ai choisi l'endroit, à cause de la piscine. Tu te souviens, j'adore nager. Allez ! On ne va pas se mettre à pleurnicher ! On est ensemble !

— J'ai l'impression de revivre rien qu'en entendant ta voix.

Imogen éclata de rire. Ce rire ! Tonitruant, irrésistible, communicatif. Millicent fit de même.

— Je m'ennuie tellement, ici, si tu savais, dit-elle enfin.

— Eh bien, Magnificent, c'est terminé, l'ennui. Fini ! Pffuit ! Adieu ! À partir de maintenant ! Tu es prête ?

Daz, le coiffeur, n'en revenait pas.

— Quoi ? Vous étiez copines de pension ? Vous ne vous êtes pas vues depuis soixante-dix ans ? Mais c'est dingue !

Il était en train de coiffer Imogen, qui se laissait faire très gentiment.

— Dingue est le mot, dit Millicent.

— Mais pourquoi avoir attendu si longtemps pour vous retrouver ? fit Daz, intrigué.

— J'ai été renvoyée du pensionnat, gloussa Imogen, et mes parents m'ont mise dans le train dare-dare pour m'enfermer dans un couvent suisse !

— Les salauds, souffla Daz.

— Après, nous nous sommes perdues de vue, ajouta Millicent. Aujourd'hui, vous retrouvez facilement vos amis d'enfance sur Facebook, mais dans les années cinquante, soixante, et même après, on n'avait pas tout ça. C'était impossible de retrouver la trace d'une amie.

— Surtout que moi je me suis mariée trois fois, et j'ai changé de nom à chaque mari, s'amusa Imogen. J'ai été baronne von Knapp, signora Lombardo et enfin Mrs. Reeves !

— Je n'aurais jamais pu te retrouver, en effet, pouffa Millicent.

— Et c'est quoi, votre meilleur souvenir ensemble ? demanda Daz, qui s'appliquait à terminer le brushing d'Imogen.

Sans se concerter, elles répondirent en chœur :

— Les vacances à Bramfield House.

— C'était votre pensionnat ?

— Pas du tout, dit Imogen. C'était un manoir dans le Suffolk, où nous avons passé un été. L'été 1950, pour être précise.

— Tu te souviens ? murmura Millicent. De tout ?

— Pff ! Évidemment, que je me souviens de tout, Magnificent !

— Des vacances de folie ! Inoubliables !

— Oh là là, racontez-moi ! s'exclama Daz. Je suis trop curieux.

Les deux octogénaires échangèrent un coup d'œil malicieux.

— On vous raconte si vous venez à la piscine demain avec nous, dit Imogen.

— Hein ? La piscine ?

— Tout à fait, dit Millicent. À 9 heures, il n'y a personne, elle est à nous. Température très agréable, vous verrez !

— Mais on nage encore, à vos âges ? rigola Daz.

— Jeune homme, vous allez trop loin.

— Pardon, fit-il, déconfit.

Le lendemain matin, muni d'un seyant maillot imprimé fauve, d'un peignoir et de sandales en plastique, Daz se dirigea vers la grande piscine située à l'ouest de la résidence. On y accédait par un couloir. Les deux amies étaient déjà là, seules dans l'eau, et il constata, non sans admiration, qu'elles savaient vraiment nager ; Imogen effectuait un crawl parfait, tandis que Millicent exécutait une brasse coulée des plus souples. Mais ce qui lui plut le plus, c'étaient leurs sourires, leurs rires, leur incroyable joie de vivre. L'ayant aperçu, elles lui firent des signes pour qu'il vienne se joindre à elles, et il ne se fit pas prier.

Après, lorsqu'ils se reposèrent tous les trois sur des transats face à la baie vitrée, Daz leur glissa :

— Bon, alors ? Ces vacances à Bramfield House ?

— C'est toi qui commences, Génie, dit Millicent.

Imogen prit la parole de sa voix de chipie. Il faut imaginer la scène : un quai de gare paumé dans le Suffolk. Juillet 1950. Elles ont seize ans, bientôt dix-sept. Elles sont plutôt pas mal, toutes les deux.

— C'est-à-dire ? demanda Daz.

— Génie est une sorte de Marilyn Monroe brune, et moi…

— Tu étais une Audrey Hepburn blonde, compléta Imogen.

— Rien que ça ! siffla Daz. Mais que faisiez-vous sur ce quai de gare au milieu de nulle part ?

Imogen reprit son récit. Eh bien, elles avaient été invitées par une richissime copine de classe, Samantha Pryce-Jones, et on leur avait affirmé que le chauffeur de son père allait venir les prendre à la gare de Darsham. Il faisait très chaud, ce jour-là. Elles avaient dû se mettre à l'ombre. La petite gare, en pleine campagne, était déserte. Le temps avait passé, et personne n'était venu les chercher. Elles avaient fini par trouver une cabine et appeler Bramfield House.

— Il n'y avait pas de portables, dans les années cinquante, précisa Millicent.

— Le Moyen Âge ! gémit Daz. Je ne sais pas comment vous faisiez, mesdames.

La ligne avait sonné de façon interminable, et quelqu'un avait fini par répondre ; la voix lugubre d'un majordome éploré qui leur avait annoncé le décès de lord Pryce-Jones, le matin même, pendant qu'il prenait son petit déjeuner.

— Alors, vous êtes retournées à Londres ? Fini, les vacances ?

— Pas du tout, gloussa Imogen. Ce n'était que le début !

Le majordome sinistre (comment s'appelait-il déjà ? « Lovatt », souffla Millicent) leur avait dit que quelqu'un allait venir les chercher dès que possible. Une rutilante Bentley avait enfin fait son apparition. Affamées, assoiffées, déshydratées, elles avaient pris place sur les sièges arrière recouverts de cuir ivoire. Le chauffeur paraissait à peine plus âgé qu'elles ; un jeune gars rigolo avec un accent du Nord et des taches de rousseur, Glenn. Il leur avait dit que c'était le bazar, au manoir. Tout le monde effondré ? Ah non, vraiment pas, avait-il rigolé. À part Lovatt, qui était au service du lord depuis des années, c'était plutôt le soulagement. Il était temps que le très vieux lord s'éteigne. Génie et Magnificent n'en étaient pas revenues. Samantha n'avait pas souvent évoqué son père, très âgé, mais plutôt sa mère, surnommée Lady PJ, qui semblait délicieusement fofolle.

Millicent raconta la suite à son tour. Bramfield House était un manoir entouré d'un jardin impeccablement tenu, avec piscine et court de tennis. Lorsqu'elles étaient enfin arrivées, elles avaient découvert une ambiance qui n'avait rien de funèbre : des invités hilares bavardaient en sirotant du champagne, Samantha avait affiché un large sourire en les voyant, et Lady PJ s'occupait des funérailles de son défunt mari avec allégresse.

— Elle se fichait de son mari, ou quoi ? demanda Daz.

— Non, elle l'aimait, mais ils avaient eu deux vies bien séparées, répondit Imogen. Et le très vieux lord était mort paisiblement en mangeant un muffin. Après les funérailles, expédiées, un climat de fête permanente s'était installé à Bramfield House. Lady PJ avait invité ses amis comédiens. Hmm, tu te souviens de leurs noms, Génie ?

— Bien sûr ! Bingo, Angela et Max. Il y avait déjà des convives hauts en couleur, comme la sculptrice Rosamund Ripper, et le baryton français Octave Villeneuve, mais ce n'était pas tout ! Les domestiques étaient tout aussi dingues.

— Mais oui, tu te rappelles la cuisinière ? Quelle rigolote ! Voyez-vous, Daz, nous n'avions jamais connu une telle ambiance. Nous avions été élevées dans des familles plutôt coincées, alors tout cela, c'était très nouveau pour nous.

Daz écoutait, transi.

Millicent décrivait à présent le déroulé des journées à Bramfield House. Il fallait tout de même se lever tôt. Ce n'était pas parce que ce beau monde dansait la nuit entière qu'on pouvait se laisser aller à la grasse matinée ! Lady PJ pratiquait le yoga dès potron-minet dans le jardin, et invitait ses amis à la suivre. Ensuite, badminton, tennis, natation. Mrs. Rumple, la cuisinière, sonnait le gong à 13 heures précises. Les repas étaient exquis. Mais chacun rapportait son assiette à la cuisine, pas question de laisser le lugubre Lovatt (toujours en deuil) se charger de tout. Ils étaient dix-huit ou vingt, une sacrée bande. Dans l'après-midi, il y avait le choix entre courses au bourg le plus proche, balade à cheval dans le parc ou sieste.

Mais c'était le soir que Génie et Magnificent attendaient avec le plus d'impatience car, dès la nuit tombée, tout devenait magique ; le manoir était entièrement illuminé par des chandelles, Lady PJ se mettait au piano avec ses amis, dont une savait jouer de la harpe, et une ambiance incroyable régnait alors à Bramfield House. D'abord, les tenues : il fallait revêtir un déguisement nouveau à chaque dîner, et il y avait un rôle à tenir pour chacun ; c'était comme une sorte de pièce de théâtre qui se renouvelait en permanence, un cadavre exquis qui n'en finissait pas de se réinventer.

— Tous les soirs, vous jouiez à être quelqu'un d'autre ? dit Daz, rêveur.

— Oui, répondit Millicent, avec la même rêverie dans la voix. Des princesses des *Mille et Une Nuits*, des Tziganes, des courtisanes, des acrobates, des gentlemen cambrioleurs, des gladiateurs, des ballerines… Le grenier regorgeait de trésors.

— Et parfois, nous nous battions à propos d'un costume, cela pouvait tourner à la foire d'empoigne !

— Il y avait aussi le dressing de la tante de Lady PJ. Des tuniques en lamé années vingt sublimes !

— Fallait rentrer dedans, grimaça Imogen.

— Et ton truc à plumes !

— Mais oui ! Et puis, il y a eu le soir où…

— Ah, oui, ce soir-là ! *Oh, my God !*

Et elles eurent un tel fou rire que Daz crut qu'elles ne s'arrêteraient jamais. Le cours d'aquagym de Miss Varnam allait commencer, et le trio dut quitter les lieux.

Daz voulait la suite, cependant Millicent et Imogen insistèrent pour se changer. Elles n'allaient tout de même pas traîner en peignoir et maillot de bain mouillés ! Un nouveau rendez-vous fut fixé dans la salle de convivialité avant le déjeuner. Le trio se reforma autour d'une table, bien conscient des regards curieux posés sur eux. Mais que faisait Daz avec Mrs. Farrell et Mrs. Reeves ? Tout le monde voulait savoir. Imogen reprit le cours de l'histoire. La soirée la plus mémorable du séjour s'était terminée avec un strip-tease.

— Hein ? fit Daz, sonné.

— Vous avez parfaitement entendu, mon petit. Un strip-tease !

— Nous avions bien répété, ajouta Millicent. Pendant des journées entières. Tu te souviens ?

— Et comment ! Chaque fois que j'entends cet air, je pense à cet été-là, à Bramfield House et à toi !

— Quel air ? demanda Daz.

— « Put the Blame on Mame ».

— Ah, je ne connais pas, fit le jeune homme, dépité.

— Mais si, voyons ! Prenez votre smartphone et tapez « Rita Hayworth » ou « Gilda », et vous verrez.

Le jeune homme s'exécuta.

— Ah, mais oui ! La rousse, les gants, la robe fourreau !

— Nous avions imaginé une chorégraphie sublime, rien de vulgaire, je vous assure. Génie était une rose qu'on effeuillait, et moi un dahlia noir.

— Oh ! murmura Daz, admiratif.

— C'était d'une beauté, d'une sensualité, s'extasia Génie. Tout le monde était en transe.

— On nous a dit après qu'on aurait pu monter sur scène toutes les deux, faire un vrai spectacle.

— On aurait peut-être dû...

— On aurait eu un succès fou !

— Les reines de Londres !

— Nos noms tout en haut de l'affiche !

— Et notre nom de scène ? On aurait trouvé quoi, à ton avis ?

— Mais enfin ! C'est évident ! Les Bramfield Belles !

— Il n'est pas trop tard, intervint Daz. Vous pourriez donner des spectacles, ici, en souvenir de vos incroyables vacances à Bramfield House. Des bals costumés, des sketchs, des numéros !

Il se laissa aller à un grand geste festif et joyeux.

Les deux octogénaires se regardaient, étonnées.

— Mais, au fond, pourquoi pas ?

— Mais oui, pourquoi pas, *my dear* ?

— On s'ennuie à mourir, ici !

— Ah, ça, tu l'as dit !

— Bon, mais le strip-tease, je ne le sens pas trop, hein !

Fou rire général.

— On pourrait imaginer autre chose, en effet. Un mélange de saynètes, de chant, de musique et danse !

— Avec une mise en scène très étudiée...

— Vous devriez aller parler à la directrice de la résidence, Miss Harris. Elle est plutôt sympa, dit Daz.

— Vous pourriez lui parler de nous ?

— Quoi, vous êtes timides ? Vous ! s'esclaffa le jeune homme. Allez frapper à sa porte. Son bureau est au premier étage.

Millicent et Imogen échangèrent un regard. Elles semblaient hésiter.

C'est alors qu'une vieille dame introvertie, Mrs. Cooper, qui parlait peu, se rapprocha du petit groupe.

— Pardonnez-moi, je n'ai pas pu m'empêcher d'entendre votre conversation. Je suis une ancienne costumière pour le théâtre. Et j'ai ma machine à coudre avec moi.

Une autre voix s'éleva. Celle de Mr. Brayers, qui ne manqua pas d'humour lorsqu'il dit :

— J'ai bien compris que vous trouvez que je massacre Chopin, mais je ne me défends pas trop mal au rayon jazz et blues.

— Et moi, ajouta Lily, la jeune aide-soignante, je joue de la batterie !

— Et moi, je ferai vos coiffures et j'ai des perruques démentes ! cria Daz, surexcité.

— Et moi, je ne sais rien faire, gémit Mrs. Nesbitt avec son timbre insupportable, mais je rêve d'un spectacle à la résidence !

— Bien ! fit Millicent en se redressant.

— Tu es prête, Génie ?

— C'est parti !

Bras dessus, bras dessous, elles se dirigèrent vers le bureau de Miss Harris.

Ainsi naquirent les soirées artistiques hebdomadaires de la résidence avec, dans les rôles principaux, les Bramfield Belles.

Les représentations eurent un succès si retentissant que la direction fut obligée de refuser du monde.

De leur côté, les médecins gériatres constatèrent immédiatement le bienfait des spectacles mis en scène par Mrs. Farrell et Mrs. Reeves sur tous les pensionnaires de la résidence de Sunny Hills Home.

Leïla SLIMANI

La Chambre verte

« Non, dit ma mère. Tu te trompes. Ce n'est pas un souvenir. Ça n'a rien à voir avec un souvenir. Tu crois qu'il est entré dans ta chambre. Tu prétends qu'il a soulevé les draps et posé la main sur ton ventre. Je ne sais pas où tu es allée chercher des idées pareilles, mais rien de tout cela ne s'est passé. Ce ne sont pas des souvenirs. Ce sont des histoires que tu as inventées. Des mensonges que tu racontes sans même te rendre compte que ça n'a rien à voir avec la réalité. Tout le monde sait que tu mens. À l'école primaire déjà, tes maîtresses disaient ça sur toi. Que tu avais tendance à mentir à tes camarades et que tu étais l'objet de moqueries à cause des énormités que tu essayais de leur faire avaler. Et ça a duré longtemps, cette mauvaise habitude. Jusqu'au collège où, un jour, des camarades ont écrit sur le tableau, avec une craie blanche, le mot "mithomane". »

Ils l'ont écrit avec un i et, depuis, je ne peux pas l'écrire autrement. Mithomane avec un i. J'ai vu ce mot sur le tableau et j'ai su que c'était pour moi qu'on l'avait écrit. À l'école, je racontais que mes parents avaient un bateau et qu'on avait fait le tour du monde. Je coupais mon visage sur des photographies et je le recollais sur des publicités ou des portraits de personnes célèbres. J'inventais des amis qui n'existaient pas. J'avais seize ans quand j'ai parlé à ma mère. Quand je lui ai dit : « Je me souviens que ton frère... » Pourquoi ai-je parlé ce jour-là ? Je n'étais pas en colère, pourtant. Je n'étais même pas triste. C'est juste que je ne pouvais pas, non, je ne pouvais pas aider ma mère, encore une fois, à choisir les couleurs des décorations de Noël. « Qu'est-ce qu'on fait cette année : argenté et blanc, doré et rose ou quelque chose de plus classique comme vert et rouge ? » Je ne pouvais pas faire sem-blant de m'y intéresser et cacher la nervosité qui me saisissait comme chaque fois que les vacances approchaient. Les vacances et donc l'arrivée de mon oncle, pour quelques jours, dans la maison. L'été, dans la maison du Sud, avec ses murs épais qui préservent la fraîcheur et des volets en bois à travers lesquels percent les rayons du soleil. L'hiver, pour Noël, dans la maison familiale, avec mes cousins qui faisaient des caprices quand leurs cadeaux ne leur plaisaient pas.

Alors, pendant que ma mère était juchée sur l'escabeau et qu'elle essayait d'attraper un carton plein de guirlandes sur l'étagère, j'ai dit : « Je me souviens que ton frère a soulevé les draps et qu'il a posé sa main sur mon ventre. » Je n'ai rien dit de plus. Je ne suis pas entrée dans les détails. Et elle, elle ne s'est pas retournée et elle n'a pas arrêté de chercher le carton. Simplement, elle a dit : « Ça n'a rien à voir avec un souvenir. Tu as toujours eu beaucoup d'imagination. Tu confonds les rêves et les souvenirs. Mon frère ne ferait jamais une chose pareille. »

Son frère est professeur d'université. Un intellectuel reconnu, un pédagogue remarquable adoré par des générations d'élèves et courtisé par les médias qui louent son sens de la nuance et de la pédagogie. Ma mère a perdu son père très jeune et son frère, son grand frère chéri, lui a servi de père de substitution. Souvent elle dit : « Mon frère m'a tout appris. Je lui dois tant. » Quand mon père l'a quittée et qu'il s'est installé à Boston avec sa nouvelle femme, c'est son frère qui a pris soin de nous. Un jour, il m'a demandé de m'asseoir sur ses genoux. J'avais huit ans. À huit ans, plein de gens vous demandent de vous asseoir sur leurs genoux. Ils vous touchent, vous caressent les joues, vous embrassent et vous câlinent sans demander votre avis. À cet âge-là, on ne se méfie pas. On s'exécute. Et moi, j'étais une fille sans père. Une fille abandonnée. Alors, mon oncle a plongé ses grands yeux verts dans les miens. Il m'a caressé l'arrière du crâne et il a dit : « Maintenant, je serai toujours là pour toi. » J'ai compris ce qu'il voulait dire. J'ai su que ce n'était pas une promesse mais une menace.

Je ne contredis pas ma mère. Je n'insiste pas. Elle doit avoir raison. Comment faire la différence entre un souvenir et un rêve ? Comment pourrais-je être sûre que je n'ai pas fantasmé ce moment, qu'il n'est pas tout simplement sorti de ma petite tête de fillette perverse ? Et si j'avais accusé à tort un pauvre innocent ? J'ai des remords. J'ai fait de la peine à ma mère que j'aime tant. Je n'ai pas eu la décence de garder pour moi mes délires sordides. Il a fallu que je l'ouvre, encore.

Ce n'est pas un souvenir. Ce n'est pas un souvenir. Mais comment expliquer alors cette terreur qui m'envahit parfois ? Cette impression que le sol se dérobe sous mes pieds, que le souffle me manque, que je ne suis plus qu'une bête prise au piège ? Un rien la provoque. L'approche des vacances d'été. L'odeur du chlore sur la peau. L'ombre des rideaux sur le mur. Le carrelage blanc et bleu d'une salle de bains. Les chants de Noël et le goût de la bûche aux marrons. Comment expliquer que j'aie toujours mal au ventre ? Chaque jour qui passe je me tords de douleur. Mes amis se moquent quand j'annule des dîners ou que je quitte, plus tôt que prévu, une soirée. « Oui, on sait, tu as mal au ventre. » J'ai consulté des spécialistes. J'ai fait des coloscopies, des fibroscopies, des échographies. « Votre ventre va très bien, m'a affirmé le docteur. Il faut chercher la raison ailleurs. » Et je sais bien ce qu'il se dit. Il pense que je suis folle ou hypocondriaque. Il pense que je veux qu'on s'occupe de moi. Ma mère aussi pense ça. « Tu veux attirer l'attention, c'est ça ? » Les maux de ventre ne s'arrêtent pas. Parfois, quand je suis dans la rue ou seule chez moi, je me mets à transpirer et mon ventre se tend et devient aussi dur qu'une planche de bois. Est-il possible que le souvenir se cache là ? Que ce soit mon corps qui porte le poids de ce secret puisqu'il ne peut exister ailleurs, ni dans les mots ni dans ma tête ? Je l'ai enfoui si profondément que c'est dans mes entrailles qu'il repose à présent. Il me torture l'intestin. Il me broie l'estomac.

Ce n'est pas un souvenir et pourtant ça revient, comme une vague qui me fait tomber et rouler, la première fois qu'un garçon m'embrasse. Il pose ses lèvres sur mes lèvres. Il enfonce sa langue dans ma bouche. J'ai dix-sept ans, je devrais être heureuse mais non, ce que je ressens, c'est un dégoût si intense que je lui mords la langue. Lui aussi finira par penser que je suis folle. J'ai connu des hommes. J'en ai même aimé quelques-uns. Mais jamais long-temps. Jamais jusqu'à l'oubli de moi-même. Jusqu'à l'abandon. Et d'eux, je ne peux jamais me souvenir. Je suis incapable de me remémorer le passé. Leurs visages s'effacent. Je perds la trace de nos conversa-tions, de nos ébats, de mes sentiments. Un de mes amants m'a écrit il y a quelque temps. Il m'a dit qu'il était tombé sur une photographie de nous sur la plage à Barcelone. Je portais un manteau orange et je souriais. Il a écrit : « Tu me manques et nous étions heureux. » Il se sentait envahi par la nostalgie. La nostalgie ? Je ne sais pas ce que c'est.

J'ai vingt-cinq ans et une de mes amies me traîne dans les boutiques un samedi après-midi. Elle décroche une robe d'un portant. Elle la pose sur moi, elle recule et elle m'ordonne : « Essaie-la. Je suis sûre qu'elle t'ira à ravir. » Je fixe le tissu du vêtement. « Non. Je ne porte jamais de vert. » Je lui raconte que quand j'étais enfant ma mère m'a déconseillé de porter cette couleur car elle ne va pas avec mon teint. Je suis blonde, j'ai la peau diaphane et le vert ne me va pas. C'est un mensonge. Ma mère n'a jamais dit ça. Cette histoire-là, je l'ai inventée et répétée si souvent que j'ai fini par croire qu'elle était vraie. Jamais je ne m'avoue que tout a eu lieu dans la chambre du fond. Celle qu'on appelle « la chambre verte » à cause de la couleur du couvre-lit et des rideaux.

J'ai trente ans. Je décide de chercher de l'aide. Il faut que je sache. Je m'allonge sur un divan. Je raconte. Je dis : « Je ne sais pas si j'ai rêvé ou si je me souviens. » L'homme dans mon dos m'écoute parler. Un jour, il m'expose une théorie étrange sur les oncles maternels et ce qu'ils représentent dans la théorie psychanalytique. Je n'y comprends rien. Au bout de quelques semaines, je n'en peux plus.

« Donnez-moi votre avis. D'après vous, c'est arrivé ou non ? C'est un souvenir ou c'est un rêve ?

— Je ne peux pas répondre à cette question. »

Je ne retourne jamais le voir. Il ne me sert à rien.

Je n'en parle plus jamais à ma mère. Je l'aime plus que la vie. Elle est la douceur et la bonté mêmes. Elle est la tendresse et l'amour. Je ne veux pas lui faire de peine. Parfois, quand je suis de mauvaise humeur, je me surprends à penser que c'est moi qui ai le plus de peine et qu'il n'y a pas de raison de la protéger. Mais ça passe vite. Je me reprends. Et mon oncle continue de passer les vacances avec nous. Le matin, au petit déjeuner, il est assis en face de ma mère. Ils boivent du café et du jus d'orange. Je me demande si elle y pense. Si pendant un instant cette idée lui traverse l'esprit. Si elle se dit : *Est-ce que ça pourrait être un souvenir ?*

Elle me parle de lui parfois, quand je viens lui rendre visite. Elle est seule. Elle ne travaille plus et elle ne voit personne. Ses sujets de conversation sont limités. Ses problèmes avec sa voisine. Son œil qui va être opéré. Son manque d'appétit. Et son frère. Elle me raconte comment il va, ce qu'il lui a dit au téléphone la dernière fois qu'elle lui a parlé. Elle m'explique qu'il a des soucis avec sa femme, qu'ils vont sans doute divorcer. « Le pauvre », dit-elle. Et c'est cette phrase qui me heurte le plus. « Le pauvre. » J'en ai les larmes qui montent aux yeux. J'ai envie de hurler. Je voudrais lui dire qu'elle exagère, qu'elle est cruelle, qu'elle ne peut pas faire comme si je ne lui avais pas raconté un jour un terrible souvenir. Mais ce n'est pas un souvenir. Et je dois être sage. Je ne dois pas faire de peine à maman.

Dans la famille, on m'appelait la faiseuse d'histoires. C'est vrai que je ne savais pas me taire. Je faisais des gaffes. Je répétais des choses que j'avais entendues. Je montais les gens les uns contre les autres. On disait aussi que je me faisais des films, que je prenais mes désirs pour des réalités. Quand on y pense, c'est assez ironique. La faiseuse d'histoires est devenue monteuse de cinéma. Et je suis bonne dans ce que je fais. Une des meilleures, même, nommée deux fois aux César, sollicitée par les plus talentueux metteurs en scène. À une autre époque, j'aurais coupé des bandes de pellicule puis je les aurais recollées les unes aux autres pour former une histoire. Aujourd'hui, je travaille devant un écran avec un matériel sophistiqué. Mon rôle, c'est de remettre en ordre, mais pas seulement. C'est de choisir la meilleure scène, celle qui est la plus forte, la plus vraie. De trouver le bon rythme, le bon tempo. De faire que ça ait l'air de couler de source. Je passe ma vie dans les histoires et les illusions. Ça n'en finit pas de me fasciner, cette infinité d'histoires qui peuvent être racontées jusqu'à la fin des temps. Peut-être que mon souvenir n'est rien d'autre que cela. Une histoire que je me raconte. Et il suffirait que je coupe, avec mes grands ciseaux, cette scène du film de ma vie. Mais elle revient sans cesse. Elle ne me laisse pas tranquille.

Ma mère ne se met jamais en colère. Elle est compréhensive et indulgente. Mais elle n'aime pas qu'on cherche des excuses dans le passé. Elle dit que ça l'insupporte, cette nouvelle tendance des gens à exhumer leurs traumatismes d'enfance. Que ça l'agace, cette façon de blâmer les autres, d'accuser les parents pour nos faiblesses. Elle dit qu'il faut avancer. « Aller de l'avant. » Ma mère est la gardienne de mon passé. C'est elle qui décide et, plus je grandis, plus cela me trouble. Souvent, quand j'évoque un épisode de mon enfance, elle me reprend : « Tu dois mal te rappeler. Nous ne sommes jamais allés dans le restaurant dont tu parles. » Je raconte un banal souvenir, une phrase que j'aurais dite, un vêtement que je portais. Ma mère est catégorique : « Ça n'est pas du tout comme ça que ça s'est passé. » Dans un procès, je me demande laquelle de nous gagnerait. Nous ne disposons ni de témoins, ni de preuves,

ni même de photographies de tous ces souvenirs.
Parole contre parole. Passé contre passé.

Le souvenir est devenu un secret. Et il est plus
lourd à porter maintenant parce qu'il me fait honte
et qu'il blesse maman. Mon oncle, « le pauvre », a
une maladie des os. Ma mère s'occupe de lui. Elle
l'accompagne à l'hôpital. Elle me dit que ce serait
gentil de lui passer un coup de fil. Pour prendre
des nouvelles et lui remonter le moral. Que je pourrais faire l'effort de lui rendre visite. « C'est un vieil
homme malade. » Le pauvre. Je ne me révolte pas.
Je fais ce qu'elle a dit. Je vais lui rendre visite dans
la clinique du 17ᵉ arrondissement où il est soigné.
J'ai acheté une boîte de chocolats dans le magasin
en face. Je ne pouvais pas arriver les mains vides.
Je ne pouvais pas non plus me résoudre à acheter
quelque chose de personnel. Une boîte de chocolats
fera l'affaire. J'entre doucement dans sa chambre.
Il est allongé et il dort. La couverture a glissé et
je peux voir ses cuisses, maigres, presque déchar-
nées. Il respire difficilement. Je ne me réjouis pas
de sa souffrance. Je ne suis pas comme ça. Mais je
m'avance et je le regarde. Je pense : *Je ne te pardonne
pas. Tu vas mourir et je veux que tu saches que tu n'as
pas mon pardon. Ce serait trop facile. Ton cancer ne te
vaudra pas l'absolution.* Il ouvre les yeux. Des yeux
exorbités, qui semblent énormes du fait de sa mai-
greur. Des yeux d'enfant apeuré et, tandis qu'il me
regarde, je me repens. « Ce n'est pas un souvenir »,
a dit maman.

REMERCIEMENTS

Chers lecteurs,

Nous tenons à remercier les équipes d'Univers Poche et tous nos partenaires solidaires de la chaîne du livre et de sa promotion, ayant permis à cette belle opération de voir le jour :

Pour l'aide juridique :
Sogedif

Pour les textes :
les 15 écrivains

Pour la couverture :
Riad Sattouf

Pour la photocomposition :
Apex Graphic
Nord Compo

Pour l'impression et le papier :
Stora Enso Paper France

Mayr-Melnhof Group

Maury Imprimeur
CPI Brodard & Taupin

Pour la distribution et la diffusion :
Interforum

Pour la promotion :

Communication : Nicolas Galy,
Agence NOOOK / JD2 / Kosept / Little Sister /
Time-Line Factory

Radio : EUROPE 1 / RFM / Sanef /
Autoroute FM

Presse : *20 Minutes* / *Avantages* / *Biba* / *Causette* /
CNEWS / *ELLE* / *Femme Actuelle* / *Happinez* /
Historia / *Le Figaro littéraire* / *Le Parisien* /
Les Inrocks / *L'Express* / *L'Histoire* / *Libération* /
LiRE le magazine littéraire / *Livres Hebdo* /
L'Obs / *Marie-France* / *Maxi* /
Nous deux / *Psychologies* / *Sciences et Vie* /
Simple Things / *Society* / *Télérama* /
Version Femina

Affichage : Métrobus / Médiagares /
ECN / Phenix

Ainsi que :
Agence HAVAS

Et tous les libraires de France !

L'équipe éditoriale des éditions Pocket

Vous découvrirez ici la liste de l'intégralité
de nos partenaires solidaires.

*Cet ouvrage a été composé et mis en page
par Nord Compo à Villeneuve-d'Ascq*

storaenso

ARKTIKA

Imprimé en France par CPI
en octobre 2021
N° d'impression : 3044986

Pocket – 92 avenue de France, 75013 PARIS

S31648/01